CUMPRIMENTOS AO GUIA DO DR. ART PARA O PLANETA TERRA

"Este é um livro extraordinário. De forma estimulante, clara e concisa, Art Sussman explica o funcionamento do nosso planeta e revela o que pode acontecer quando o equilíbrio da natureza é perturbado. Ele instigará a imaginação e despertará a capacidade de assombro de leitores de todas as idades. Recomendo enfaticamente o *Guia do Dr. Art para o Planeta Terra* – ele merece um lugar em cada sala de aula e em cada residência. Adquira-o já!"

Dra. Jane Goodall
Ecologista, Escritora

"Recomendo este livro de fácil leitura às pessoas de todas as idades interessadas em saber como os sistemas físico e biológico da Terra estão interligados."

Dr. Bruce Alberts
Presidente, National Academy of Sciences

"Que leitura agradável! Com muita habilidade, este livro analisa os sistemas da Terra, sempre despertando e estimulando a imaginação do leitor. Idéias complexas são apresentadas de forma perfeitamente compreensível! Como não se trata de uma obra dirigida exclusivamente ao público infantil, mesmo os adultos se surpreenderão lendo-o para satisfazer sua curiosidade sobre o funcionamento da Terra."

Bora Simmons
Diretora, National Project for E...

"Como Diretora de Projetos do Public... and Technology, estou sempre à procura de ma... com eficácia. O *Guia do Dr. Art para o Planeta Terra* é um recurso excelente para todas as pessoas que querem compreender as questões ambientais com que se deparam nos meios de comunicação e nas escolhas que fazem como cidadãos e consumidores. É escrito de forma agradável e os gráficos são de fácil compreensão."

Judy Kass
American Association for the Advancement of Science

"Este é um livro ótimo, bem elaborado, e contém informações deveras interessantes. Ele também adota um ponto de vista único que pode ser muito útil para se aprender sobre sistemas e interações."

Dr. Goery Delacote
Diretor Executivo, Exploratorium, San Francisco

"Esta é uma cartilha extraordinária sobre a teia da vida. Espero que toda criança que a ler influencie também seus pais a se interessarem por ela, para que adultos e crianças se somem na compreensão de que temos apenas uma teia preciosa de vida na Terra."

Paul Hawken
Escritor, Diretor, The Natural Step,
Fundador, Smith and Hawken
Autor de Capitalismo Natural,
Com Amory e L.H. Lovins, publicado pela Ed. Cultrix

"Uma apresentação maravilhosamente concisa e brilhantemente simples! Como educadora dedicada às ciências ambientais durante 20 anos, fico feliz em ter à minha disposição um instrumento de ensino como esse. Recomendo-o enfaticamente a todos os terráqueos!"

Carol Fialkowski
Field Museum of Natural History, Chicago

"Venho aproveitando as idéias do dr. Art para ensinar a professores e alunos do ensino médio, pois eles adoram o seu modo de ensinar. Eles desenvolvem uma compreensão profunda do funcionamento do nosso planeta e aprendem divertindo-se."

Teresa Hislop
Professora Orientadora de Ciências, Utah

"O livro-*show* do dr. Art Sussman é extremamente interessante e, ao mesmo tempo, transmite um conhecimento ecológico que é preciso que se torne parte integrante de toda educação."

Fritjof Capra
Autor de O Ponto de Mutação, Sabedoria Incomum,
O Tao da Física, A Teia da Vida *e* Pertencendo ao Universo,
publicados pela Ed. Cultrix

DR. ART
GUIA PARA O
PLANETA TERRA

PARA TERRÁQUEOS DE 12 A 120 ANOS

Art Sussman, Ph.D.

Tradução de Euclides L. Calloni
e Cleusa M. Wosgrau

EDITORA CULTRIX
São Paulo

Título do original: *Dr. Art's Guide to Planet Earth*.

Copyright © 2000 WestEd, 730 Harrison Street, San Francisco, CA 94107.

Ilustrações de Emiko-Rose Koike.

Todos os direitos reservados. Nenhuma parte deste livro pode ser reproduzida ou usada de qualquer forma ou por qualquer meio, eletrônico ou mecânico, inclusive fotocópias, gravações ou sistema de armazenamento em banco de dados, sem permissão por escrito, exceto nos casos de trechos curtos citados em resenhas críticas ou artigos de revistas.

As fotos são cortesia de:
Artville: pp. 36, 100; Corbis Images: pp. 80, 81; Eyewire: capa, pp. i, 5, 6, 9, 10, 15, 26, 41, 43, 44, 53, 60, 71, 75, 77, 79, 83, 88, 96, 99, 102, 103, 104, 106, 109, 114; Masterphotos; pp. 1, 8, 11, 13, 14, 15, 17, 18, 19, 20, 24, 31, 33, 43, 46, 47, 50, 51, 75; NASA: pp. 1, 2, 3, 17, 78, 90; Photodisc; capa, pp. i, iii, 5, 19, 21, 29, 34, 35, 45, 54, 55, 60, 63, 66, 68, 74, 75, 77, 79, 80, 83, 84, 87, 99, 102, 111, 115.

Tabelas reproduzidas das pp. 51 e 85 da *The Consumer's Guide to Effective Environmental Choices* de Michael Brower e Warren Leon, copyright © 1999 Union of Concerned Scientists. Reproduzidas com a permissão da Harmony Books, uma divisão da Random House, Inc.

O primeiro número à esquerda indica a edição, ou reedição, desta obra. A primeira dezena
à direita indica o ano em que esta edição, ou reedição foi publicada.

Edição	Ano
4-5-6-7-8-9-10-11-12-13	05-06-07-08-09-10-11-12

Direitos de tradução para a língua portuguesa
adquiridos com exclusividade pela
EDITORA PENSAMENTO-CULTRIX LTDA.
Rua Dr. Mário Vicente, 368 – 04270-000 – São Paulo, SP
Fone: 6166-9000 – Fax: 6166-9008
E-mail: pensamento@cultrix.com.br
http://www.pensamento-cultrix.com.br
que se reserva a propriedade literária desta tradução.

Sumário

Capítulo 1 - Apresentando o Planeta Terra

A Terra é um Todo _____ 2
Sistemas dentro de Sistemas dentro de Sistemas _____ 4
O Sistema Terra _____ 8
A Matéria da Terra _____ 10
A Energia da Terra _____ 12
A Vida da Terra _____ 14
Três Princípios _____ 16
Visão Geral do Livro _____ 17

Capítulo 2 - Ciclos da Matéria

A Substância Sólida da Terra _____ 20
O Ciclo das Rochas _____ 24
A Substância Líquida da Terra _____ 26
O Ciclo da Água _____ 28
A Substância Gasosa da Terra _____ 34
O Ciclo do Carbono _____ 36
O Ciclo do Carbono Atualmente _____ 40

Capítulo 3 - Fluxos de Energia

A Energia da Terra _____ 44
Parte de um Sistema Maior _____ 46
A Energia do Sol _____ 48
O Efeito Estufa _____ 50
A Energia Interna da Terra _____ 54
O Orçamento de Energia da Terra _____ 56

iii

Dr. Art's Guide to Planet Earth

VIDA

Capítulo 4 - Teias da Vida

Um Planeta Vivo _____ 60
Observando a Terra Respirar _____ 62
Quem está na Teia? _____ 66
Ecossistemas e Ciclos de Reação _____ 68
Retalhando a Teia _____ 74

GLOBALMENTE

Capítulo 5 - Pense Globalmente

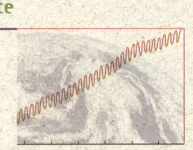

Salvar o Planeta? _____ 78
Extinção _____ 80
A Camada de Ozônio _____ 86
As Mudanças Climáticas _____ 92
Idade do Gelo ou Grande Estufa? _____ 96

LOCALMENTE

Capítulo 6 - Aja Localmente

Ar, Água e Alimentos Saudáveis _____ 100
Os Três Rs _____ 102
Ecossistemas Locais _____ 104
O Que Dizer da Energia? _____ 106
O Que Eu Posso Fazer? _____ 108
O Que Realmente Importa _____ 112
Ainda não é o Fim _____ 116

capítulo

1

apresentando o planeta **terra**

A Terra é um Todo

Sistemas dentro de Sistemas dentro de Sistemas

O Sistema Terra

A Matéria da Terra

A Energia da Terra

A Vida da Terra

Três Princípios

Visão Geral

Guia para o Planeta Terra do dr. Art

TERRA

a terra é um
todo

Uma das maiores descobertas da humanidade é que vivemos num planeta redondo. Nós rimos à idéia de uma Terra plana. Entretanto, nós mesmos estamos em meio a uma mudança ainda maior no modo de compreender o nosso planeta. E quase ninguém sabe disso.

GRANDE IDÉIA

"A Terra é um Todo" significa que todas as características físicas e organismos vivos do planeta estão interligados.

Quando compreendemos que a Terra é redonda, aprendemos que todos os lugares do nosso planeta estão fisicamente interligados. Descobrimos que, se viajássemos sempre na mesma direção, não cairíamos num abismo, mas andaríamos em círculo e voltaríamos ao ponto de partida. Essa foi uma descoberta importante para nossos ancestrais.

Hoje estamos aprendendo uma coisa muito mais importante que o modo como os lugares em nosso planeta estão fisicamente interligados. Estamos descobrindo como a Terra funciona como um sistema em si mesmo. A Terra não é plana. A Terra é muito mais do que redonda. A Terra é um todo.

"A Terra é um Todo" significa que todas as características físicas e organismos vivos do planeta estão interligados. Eles trabalham juntos de maneiras importantes e significativas. As nuvens, os oceanos, as montanhas, os vulcões, os vegetais, as bactérias e os animais, todos desempenham papéis importantes no modo de funcionamento de nosso planeta.

Os cientistas demarcaram um novo campo da ciência, denominado ciência dos sistemas da Terra, para estudar e descobrir como todas essas partes trabalham juntas. Os cientistas dos sistemas da Terra combinam os instrumentos e as idéias de muitas

Apresentando o Planeta Terra

disciplinas científicas, como da geologia, da biologia, da química, da física e das ciências da computação. Além disso, eles adotam tecnologias modernas para medir as características mais importantes do nosso planeta, como a concentração de gases na atmosfera e a temperatura do oceano em diferentes pontos. Os satélites que giram ao redor do planeta fornecem muitos dados que os cientistas dos sistemas da Terra utilizam para tentar compreender como nosso planeta funciona e que tipos de mudanças estão ocorrendo.

Naturalmente, os seres humanos fazem mais do que estudar e medir o planeta Terra. Como qualquer outro organismo, fazemos parte desse sistema Terra. Mais importante ainda, um novo papel, de grande desafio, se nos apresenta atualmente. Pela primeira vez em nossa história, podemos mudar radicalmente o modo como o planeta funciona como um todo. Somos tão numerosos e temos tecnologias tão poderosas que podemos mudar o clima da Terra, destruir seu escudo de ozônio e alterar totalmente o número e as espécies de outros organismos que vivem no planeta conosco.

Durante os últimos cinco anos, desenvolvi um método para explicar a ciência dos sistemas da Terra para a minha família, para os amigos, colegas de trabalho, professores e estudantes. Também apresento um programa em que faço demonstrações científicas e conto com a participação da platéia para apresentar os três principais sistemas da Terra estudados neste livro. Minha experiência diz que as pessoas gostam de ter informações sobre a ciência dos sistemas da Terra e acreditam que adquirem uma perspectiva mais apropriada sobre o funcionamento do nosso planeta e sobre o que podem fazer como cidadãos locais e globais.

O *Guia do dr. Art para o Planeta Terra* ajuda-nos a responder a uma das perguntas mais importantes do século XXI: Podemos todos nós viver bem no nosso planeta sem prejudicar o sistema Terra como um todo? Para responder a essa pergunta, precisamos compreender como o nosso planeta funciona. Isso parece muito mais complicado que descobrir que a Terra é redonda. Felizmente, a ciência dos sistemas da Terra pode explicar muitas das mais importantes características do funcionamento do nosso planeta.

Guia para o Planeta Terra do dr. Art

TERRA

sistemas dentro de sistemas
dentro de sistemas

O primeiro passo para compreender como a Terra funciona é pensar no nosso planeta como um sistema. Usamos a palavra "sistema" quando queremos descrever algo composto de diversas partes que se juntam para formar um todo interligado. É muito útil aprender a pensar em termos de sistemas, porque estamos rodeados por sistemas de todos os tipos. Na verdade, somos todos nosso próprio pequeno sistema.

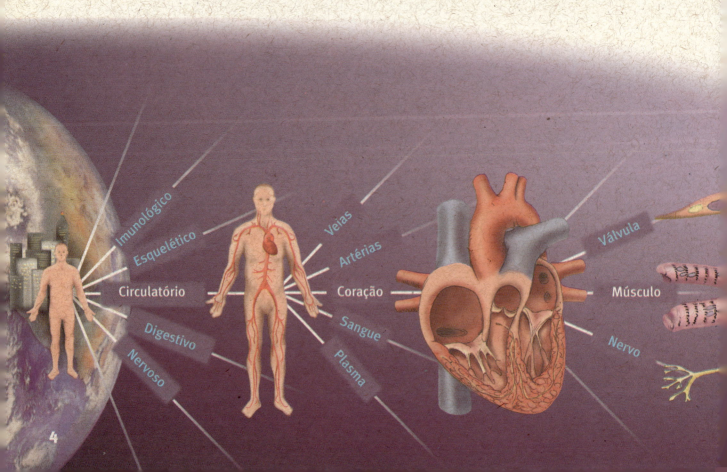

Apresentando o Planeta Terra

Cada um de nós é constituído por mais de 200 tipos de células. Essas células dos nervos, da pele, dos músculos, dos ossos, do sangue vermelho e das glândulas se unem para formar um sistema extraordinário – um ser humano individual. Todas as estruturas que essas células formam – pele, músculos, ossos, vasos sanguíneos, órgãos internos – funcionam como um todo interligado.

Vermo-nos como um sistema revela duas características importantes dos sistemas:

- cada parte de um sistema pode ela mesma ser descrita como um sistema;
- um sistema pode ser muito diferente de suas partes.

Cada parte de um sistema pode ela mesma ser descrita como um sistema. Você é um sistema. Uma das partes do "sistema você" é o modo como o sangue flui pelo seu corpo – ou seja, seu sistema circulatório. Esse sistema circulatório faz parte do "sistema você" maior, mas ele mesmo é um sistema com muitas partes.

As partes do sistema circulatório incluem o coração, as veias, as artérias e as células sanguíneas. O coração, uma parte do sistema circulatório, é também um sistema constituído por partes. Suas partes incluem as células musculares, as células nervosas e as válvulas. Uma célula do músculo cardíaco faz parte do sistema do coração, mas é também um sistema formado por uma membrana celular, pelo núcleo celular e por muitas diferentes proteínas.

GRANDE IDÉIA

CARACTERÍSTICAS IMPORTANTES DOS SISTEMAS:
- cada parte de um sistema pode ela mesma ser descrita como um sistema
- um sistema pode ser muito diferente de suas partes.

5

Guia para o Planeta Terra do dr. Art

TERRA

Você pode ficar tonto visualizando todos esses sistemas dentro de sistemas dentro de sistemas que estão dentro de cada um de nós. E a história não termina conosco. Não somos o maior sistema que existe. Como sistema, cada um de nós faz parte de muitos sistemas maiores. Cada um de nós faz parte de um sistema familiar. Cada um de nós faz parte de um ecossistema. Cada um de nós faz parte de todo um sistema humano que faz parte do sistema da vida deste planeta.

GRANDE IDÉIA

O todo é maior que a soma de suas partes.

Por que temos de nos preocupar com todos esses sistemas dentro de sistemas dentro de sistemas? A segunda característica dos sistemas que mencionamos anteriormente oferece uma pista importante.

Um sistema pode ser muito diferente de suas partes. Pense nas suas artérias, nas suas células sanguíneas vermelhas, no seu estômago e nas unhas dos dedos dos pés. Seu estômago faz parte de quem você é, mas você é muito mais do que o seu estômago. Você é muito mais que a soma de suas partes. Como um todo funcional, interligado, você tem características que não existem em nenhuma de suas partes. Você tem propriedades que transcendem, que vão muito além, das qualidades de suas partes.

Um carro é outro bom exemplo de um sistema. Um carro tem freios, rodas, cilindros, bateria, limpadores de pára-brisa, carburador, tanque de combustível, estrutura metálica, volante e centenas de outras partes. Individualmente, nenhuma dessas partes o levará de casa para a escola, para o trabalho, a um restaurante ou a um passeio à beira de um lago. Reunidas, porém, num todo interligado, o sistema carro o levará para onde você quiser. Ele tem propriedades que são qualitativamente diferentes das propriedades de suas partes. Nenhuma parte de um carro percorre 10 quilômetros com 1 litro de gasolina numa rodovia. Nenhuma parte de um carro tem condições de levá-lo montanha acima. Só um carro como um sistema em si mesmo e em funcionamento tem essas propriedades.

Apresentando o Planeta Terra

O ditado popular "O todo é maior que a soma de suas partes" descreve essa segunda característica de um sistema. Essas palavras são muito mais profundas do que podem parecer à primeira vista. Quando dizemos que o todo é maior que a soma de suas partes, queremos dizer que o sistema como um todo tem qualidades que são diferentes das qualidades das partes. O todo é qualitativamente diferente, o que é uma diferença muito mais importante que um mero aumento na quantidade.

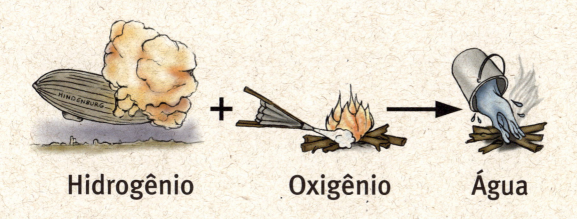

Hidrogênio **Oxigênio** **Água**

Tome a água como outro exemplo de um sistema. A água é feita de hidrogênio e de oxigênio. A temperaturas e pressões normais, ambos são gases. O hidrogênio é altamente explosivo, e não há fogo sem a presença do oxigênio. Junte-os, porém, e você tem um líquido que *apaga* o fogo. O sistema hidrogênio combinado com o sistema oxigênio (H_2O) tem propriedades que são qualitativamente muito diferentes das partes do hidrogênio ou do oxigênio consideradas individualmente.

Guia para o Planeta Terra do dr. Art

TERRA

o sistema terra

Muitos de nós nos entristecemos com os problemas ambientais que encontramos em jornais e revistas, ou na televisão, no rádio e na Internet. Vemos combinações fatídicas de letras, como BPC e CFC. Lemos declarações de especialistas com posições contrárias, um afirmando que o aquecimento global é um problema sério e o outro dizendo que não temos nada com que nos preocupar. Como podemos entender essas complicadas questões ambientais?

Uma das razões para nos interessarmos por "sistemas dentro de sistemas dentro de sistemas" é que, pensando por sistemas, temos à nossa disposição um método que nos permite compreender qualquer sistema, de modo especial os sistemas complicados, como o do planeta Terra. O sistema pode ser uma pessoa, um carro, a circulação sanguínea no seu corpo ou o planeta Terra. Seja qual for o sistema que abordemos, sempre podemos entendê-lo melhor fazendo três perguntas:

- Quais são as partes do sistema?
- Como o sistema funciona no seu conjunto?
- Como o sistema em si faz parte de sistemas maiores?

GRANDE IDÉIA

AS TRÊS PERGUNTAS SOBRE SISTEMAS:

- Quais são as partes do sistema?
- Como o sistema funciona no seu conjunto?
- Como o sistema em si faz parte de sistemas maiores?

Apresentando o Planeta Terra

O *Guia do dr. Art para o Planeta Terra* adota esse modo de pensar por sistemas para nos ajudar a compreender como o nosso planeta funciona e como podemos mantê-lo em suas condições atuais. Aprenderemos três princípios norteadores que podem oferecer uma estrutura ao nosso pensamento. Esses princípios chamam a nossa atenção para conceitos importantes, impedindo que nos percamos em detalhes confusos. Eles nos dão uma estrutura que dirige nossas ações como indivíduos, como comunidades locais, como países e como uma espécie global. Começamos com a primeira questão: Quais são as partes do sistema Terra? Para compreender como o nosso planeta funciona, acredito ser melhor descrever o sistema Terra em termos de três partes:

GRANDE IDÉIA

TRÊS PARTES DO SISTEMA TERRA:
- Matéria da Terra
- Energia da Terra
- Vida da Terra

- Matéria da Terra
- Energia da Terra
- Vida da Terra

Ao estudar a Terra como um todo, nós nos concentraremos na matéria da Terra, na energia da Terra e na vida da Terra. Em outras palavras, orientados por um modo de pensar baseado em sistemas, examinaremos a substância (matéria) que existe no planeta Terra, a energia que faz as coisas acontecerem no planeta Terra e os organismos que fazem com que nosso planeta seja único no sistema solar.

Guia para o Planeta Terra do dr. Art

a matéria da
terra

Nosso planeta vem girando ao redor do Sol há mais de quatro bilhões de anos. Durante todo esse tempo, a matéria nele contida foi mudando continuamente de forma. A água evapora dos oceanos, forma nuvens e cai como neve e chuva. As rochas se fragmentam e se transformam em resíduos que são levados para os rios como sedimento. Os vegetais absorvem o dióxido de carbono da atmosfera e o convertem em açúcares e amidos sólidos. Por que toda a água dos oceanos não se transforma em neve, nem todas as rochas viram sedimento e nem todo o dióxido de carbono da atmosfera passa a ser açúcar?

A Terra ainda tem oceanos, montanhas e dióxido de carbono atmosférico porque eles fazem parte de ciclos – os ciclos da água, das rochas e do carbono. A água que corre nos rios volta aos oceanos; sedimentos soterrados retornam à superfície pela ação dos vulcões; e os animais transformam quimicamente os açúcares em dióxido de carbono, que torna a ocupar a atmosfera.

A Terra é um planeta que recicla. Essencialmente, toda a matéria da Terra está aqui desde que o planeta se formou. Não produzimos matéria nova; a matéria velha não se perde no espaço. A mesma matéria continua sendo usada repetidamente. Do ponto de vista dos sistemas, dizemos que a Terra é essencialmente um sistema fechado com relação à matéria.*

* Naturalmente, a Terra não é um sistema totalmente fechado com relação à matéria. Por exemplo, somos constantemente bombardeados por meteoritos. Entretanto, a quantidade total de matéria que entrou no sistema Terra nos últimos três bilhões de anos é menor que 0,00001% da massa total da Terra.

Apresentando o Planeta Terra

CICLOS DA MATÉRIA

Todos os elementos essenciais para a vida existem na Terra num arco fechado de mudanças cíclicas. Da perspectiva dos sistemas, a Terra é essencialmente um sistema fechado com relação à matéria.

Guia para o Planeta Terra do dr. Art

TERRA

a energia da terra

Imagine o que aconteceria se o Sol parasse de brilhar! Essa visão catastrófica mostra o papel essencial da energia solar. Nosso planeta depende de uma entrada constante de energia proveniente do Sol. A Terra recebe um influxo de energia solar 15.000 vezes maior que toda a quantidade de energia consumida por todas as sociedades humanas. Esse fluxo constante da força solar para o sistema planetário fornece praticamente toda a energia necessária para o aquecimento do planeta, para o acionamento dos ciclos da matéria e para a conservação da vida.

Apresentando o Planeta Terra

Se a Terra conservasse toda essa energia, ela ficaria tão quente que entraria em ebulição e evaporaria. Mas a energia não se concentra num único lugar. Ela sai da Terra em forma de calor e se dispersa no espaço exterior. A quantidade de energia que sai para o espaço exterior equilibra a quantidade de energia que entra, oriunda do Sol.

Observe a diferença entre a matéria da Terra e a energia da Terra. Com relação à matéria, a Terra é um sistema fechado; a matéria não entra nem sai. No que se refere à energia, porém, a Terra é um sistema aberto; a energia da luz solar entra e a energia do calor sai.

FLUXOS DE ENERGIA

O funcionamento de nosso planeta depende de uma entrada constante da energia vinda do Sol. Essa energia sai da Terra em forma de calor, fluindo para o espaço exterior. Da perspectiva dos sistemas, a Terra é um sistema aberto com relação à energia.

Guia para o Planeta Terra do dr. Art

TERRA

a vida da terra

Os organismos da Terra formam uma intrincada teia de inter-relações, onde cada um depende e afeta significativamente muitos outros. Um exemplo importante dessa dependência/influência mútua é que praticamente todas as comunidades de organismos dependem em última instância do reino vegetal. Os vegetais absorvem a energia do Sol e a armazenam como energia química. Os vegetais são os produtores da Terra.

No que se refere à energia do alimento, todos os outros organismos são consumidores. Alguns comem vegetais, outros comem animais que comem vegetais e existem também os que comem vegetais e animais. Os vegetais, por sua vez, contam com os animais para a polinização e dispersão das sementes, e com os decompositores para formar solos ricos com resíduos mortos.

Com respeito à vida, a Terra é um sistema entrelaçado. Os organismos não apenas formam uma teia interligada, mas também participam ativamente dos ciclos da matéria e dos fluxos de energia da Terra. Nós, seres humanos, dependemos da teia da vida para o ar que respiramos e para o alimento com que nos nutrimos. Como nosso número aumentou exponencialmente e nossas tecnologias alteraram praticamente todas as regiões do globo, nós nos tornamos uma parte muito importante dessa teia da vida.

Apresentando o Planeta Terra

TEIAS DA VIDA

Uma extensa e intrincada teia de relacionamentos une todos os organismos da Terra uns aos outros e aos ciclos da matéria e fluxos de energia. Do ponto de vista dos sistemas, a Terra é um sistema entrelaçado com relação à vida.

15

Guia para o Planeta Terra do dr. Art

TERRA

três princípios

Começamos o estudo do sistema Terra fazendo a primeira pergunta: Quais são as partes do sistema Terra? Nossa resposta considerou três partes — a matéria da Terra, a energia da Terra e a vida da Terra. A segunda pergunta é: Como o sistema funciona em seu conjunto?

Adivinhe! Essa pergunta já foi respondida. Quando estudamos as partes do sistema Terra, vimos que cada uma delas trabalha para o planeta como um todo. Por isso, podemos dizer que existem três princípios que trabalham juntos:

CICLOS DA MATÉRIA
Cada elemento essencial para a vida existe na Terra num arco fechado de mudanças cíclicas. Da perspectiva dos sistemas, a Terra é essencialmente um sistema fechado com relação à matéria.

FLUXOS DE ENERGIA
O funcionamento do nosso planeta depende de uma entrada constante de energia proveniente do Sol. Essa energia sai da Terra em forma de calor e se dispersa no espaço exterior. Da perspectiva dos sistemas, a Terra é um sistema aberto com relação à energia.

TEIAS DA VIDA
Uma extensa e intrincada teia de relacionamentos une todos os organismos da Terra uns aos outros e aos ciclos da matéria e fluxos de energia. Da perspectiva dos sistemas, a Terra é um sistema entrelaçado com relação à vida.

Apresentando o Planeta Terra

Esses três princípios nos ajudam a chegar a uma compreensão básica de todas as questões ambientais. Quando nos deparamos com um problema ambiental, devemos em primeiro lugar examinar as funções da matéria, da energia e dos organismos vivos. De onde vem a matéria (carbono, água, poluentes) e para onde ela vai? O problema envolve mudanças nos fluxos de energia do planeta? Como os vegetais, os animais e os microorganismos influenciam o problema e como são por ele afetados? Respondendo a essas três perguntas, descobrimos que os três princípios norteadores fornecem uma estrutura organizadora que transforma problemas complicados em questões de bom senso.

Visão Geral do Livro

No século XXI, surpreendemo-nos num novo mundo. Sem querer, podemos mudar o modo de funcionamento do nosso planeta. Ao mesmo tempo, estamos desenvolvendo uma compreensão muito mais profunda do sistema Terra.

GRANDE IDÉIA

A Terra é um planeta que recicla, movido pelo fluxo de energia solar que sustenta uma teia da vida entrelaçada.

Este capítulo apresentou três princípios que nos ajudam a voltar nossa atenção para conceitos importantes, evitando assim que nos percamos em detalhes. Os três próximos capítulos nos darão condições de entender esses princípios em maior profundidade. Poderemos explicar como a Terra funciona em termos de ciclos da matéria, dos fluxos de energia e da teia da vida.

Mas apenas conhecer uma coisa, mesmo algo tão importante como o funcionamento do nosso planeta, não é suficiente. Precisamos aplicar essas informações no dia-a-dia. Os dois últimos capítulos relacionam essa compreensão do sistema Terra como um todo às questões ambientais com que nos deparamos global e localmente. Os três princípios dos sistemas da Terra nos ajudam a entender essas questões, e também oferecem orientações com relação ao que precisamos fazer como espécie global, como países, comunidades locais e como indivíduos.

Guia para o Planeta Terra do dr. Art

MATÉRIA

capítulo 2

ciclos da matéria

A Substância Sólida da Terra

O Ciclo das Rochas

A Substância Líquida da Terra

O Ciclo da Água

A Substância Gasosa da Terra

O Ciclo do Carbono

O Ciclo do Carbono Atualmente

Guia para o Planeta Terra do dr. Art

MATÉRIA

a substância sólida da
terra

Neste capítulo, vamos estudar o SISTEMA da matéria da Terra. Como alguém que pensa por sistemas, é provável que você tenha começado a fazer-se perguntas próprias dos sistemas, como: Quais são as partes do sistema da matéria da Terra?

Podemos pensar no sistema da matéria da Terra como constituído de três partes – substância sólida, substância líquida e substância gasosa. Os cientistas dão a essas partes os nomes de geosfera (sólida), hidrosfera (líquida) e atmosfera (gasosa). Começamos com a geosfera, a substância sólida da Terra.

É muito difícil imaginar as condições existentes há 4.500.000.000 (quatro bilhões e quinhentos milhões) de anos, quando a Terra começou a tomar forma. Como um planeta jovem, novo, a Terra era uma bola explosiva de rochas e metais em fusão. Os materiais se chocavam contra o planeta e aderiam a ele, aumentando cada vez mais seu volume. Quando ele finalmente estabilizou seu tamanho e esfriou, o material mais denso se acomodou no centro, formando um núcleo de ferro que produz o campo magnético da Terra.

Nós vivemos numa fina crosta do material menos denso. Essa crosta ficou flutuando na superfície e foi se solidificando enquanto esfriava. Se representarmos o planeta como uma bola de 1,20 metro de diâmetro, a crosta seria formada por uma camada de apenas 7 milímetros.

Ciclos da Matéria

Em geral, a geosfera é muito diferente da Terra sólida que vemos todos os dias. Sob nossos pés temos um mundo quase totalmente inexplorado de rochas e metais extremamente quentes. Esse material, que existe em condições de temperatura e pressão elevadíssimas, se liquefaz e flui, descendo milhares de quilômetros debaixo de nós, de nossas casas, dos oceanos e das florestas. Terremotos, vulcões e gêiseres indicam as altas temperaturas e pressões que existem no interior da panela de pressão da Terra.

Os cientistas achavam que os continentes e oceanos atuais eram exatamente os mesmos de bilhões de anos atrás. Mas na década de 1960 eles encontraram evidências convincentes que puseram em dúvida esse modo de ver o planeta. Suas medições, teorias e análises fizeram-nos ver as coisas de outro modo e provocaram uma revolução nas ciências da Terra.

Essa revolução nos ensinou que a superfície da Terra consiste de aproximadamente uma dúzia de grandes placas que se aproximam, se afastam, se sobrepõem, se sotopõem e se ligam umas às outras. Essas placas flutuam na superfície de uma camada móvel de material mais quente e fluido. Os oceanos e continentes estão inseridos nessas placas e se movimentam com elas. Assim, longe de permanecer os mesmos por bilhões de anos, os continentes e oceanos estão continuamente mudando de dimensões e de localização.

GRANDE IDÉIA

Terremotos, vulcões e gêiseres indicam as altas temperaturas e pressões que existem no interior da panela de pressão da Terra.

21

Guia para o Planeta Terra do dr. Art

MATÉRIA

Veja como eles mudam rapidamente! Apenas no mês passado (está bem, 225 milhões de anos atrás – apenas o mês passado, numa escala de tempo geológica), toda a massa de terra formava um único imenso continente. À época do Período Jurássico (há 135 milhões de anos), já havia alguma separação, mas a África ainda continuava praticamente colada à América do Sul. Só nos últimos 135 milhões de anos (menos de 5% do tempo de existência da Terra) é que se formou o volumoso Oceano Atlântico entre as Américas e a África/Europa.

225 milhões de anos atrás   135 milhões de anos atrás   Hoje

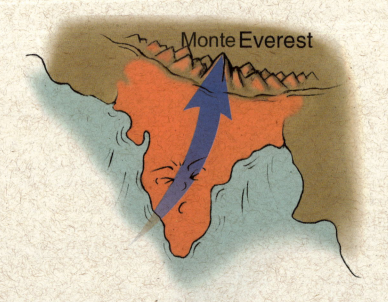

Ciclos da Matéria

A Índia oferece outro exemplo extremo dessas mudanças. A massa territorial atual da Índia localizava-se primitivamente ao sul do Equador, perto da localização atual da Austrália. Durante essas centenas de milhões de anos, a placa que contém a Índia atual deslocou-se cerca de 6.500 quilômetros para o norte. A conseqüência foi que a Índia se chocou com a Ásia, há aproximadamente 40 milhões de anos, ficando ligada àquele continente. A crosta superficial onde a Índia e a Ásia colidiram elevou-se, formando a cadeia do Himalaia, que abriga o Monte Everest e outros nove dos picos mais elevados do mundo.

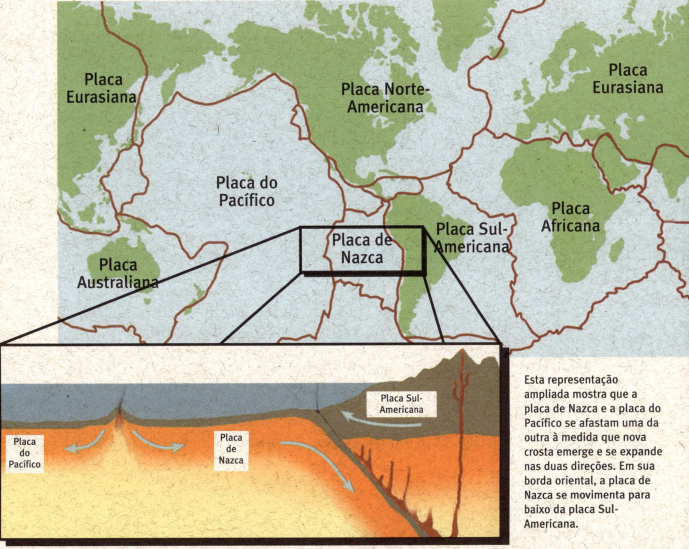

Esta representação ampliada mostra que a placa de Nazca e a placa do Pacífico se afastam uma da outra à medida que nova crosta emerge e se expande nas duas direções. Em sua borda oriental, a placa de Nazca se movimenta para baixo da placa Sul-Americana.

Guia para o Planeta Terra do dr. Art

MATÉRIA

o ciclo das rochas

Para compreender adequadamente o nosso planeta, precisamos ter em mente que essas placas e seus movimentos representam muito mais do que apenas continentes que se aproximam e se afastam. Os movimentos das placas constituem parte importante do ciclo das rochas.

GRANDE IDÉIA

A Terra tem solo seco porque os processos que formam montanhas compensam os processos de erosão.

As rochas da superfície da Terra estão num processo contínuo de fragmentação causado pela força da água corrente, pelas reações químicas, pelo vento e pelo gelo. Esses fragmentos de rocha acabam sendo levados para os oceanos, onde sedimentam. Como conseqüência dessa erosão, a superfície dos continentes tende a baixar até o nível do mar. Do ponto de vista do tempo geológico, as montanhas se desfazem rapidamente. No decurso de apenas 18 milhões de anos, os continentes chegariam ao nível do mar e os oceanos cobririam a Terra.

Por que ainda temos continentes e montanhas que chegam a quilômetros atmosfera acima? Como os continentes existem há centenas de milhões de anos, o processo de erosão deve ser compensado por um processo de formação de montanhas. Os movimentos das placas explicam muitos detalhes dessa formação de montanhas.

Às vezes formam-se montanhas quando massas continentais colidem, como no caso do Himalaia. Os vulcões demonstram que as montanhas também se formam com o material liquefeito proveniente do interior da Terra. A lava não escorre apenas na superfície da terra. Os oceanos submergiram cadeias de montanhas que estão entre as regiões geologicamente mais ativas do planeta. Essas regiões são lugares onde rochas incandescentes se projetam constantemente do interior para se transformarem em nova crosta.

A crosta da superfície está num processo contínuo de erosão, sendo levada para os oceanos, sugada para as profundezas do interior da Terra e, por fim, novamente transformada em rocha que emerge à superfície. O mesmo material rochoso é reutilizado indefinidamente. Quando estudamos o sistema da matéria da Terra, o ciclo das rochas é um dos motivos que nos fazem andar de um lado para outro murmurando "ciclos da matéria, ciclos da matéria, ciclos da matéria".

CICLO DAS ROCHAS

Guia para o Planeta Terra do dr. Art

a substância líquida da terra

MATÉRIA

A água é uma bênção para o nosso planeta e lhe dá aquela aparência maravilhosamente azulada que pode ser vista do espaço. A presença da água líquida distingue claramente a Terra de todos os outros planetas e luas do sistema solar. De fato, a superfície da Terra tem quase três vezes mais água do que solo firme.

VOCÊ SABIA?

A superfície da Terra tem quase três vezes mais água do que solo firme.

A água desempenha um papel tão importante no nosso planeta que os cientistas dos sistemas da Terra estudam exaustivamente a hidrosfera, o SISTEMA de toda a água da Terra. Esse sistema pode ser estudado em termos de seus subsistemas — os oceanos, a água congelada nas geleiras e nas calotas polares, a água subterrânea, a água que existe na superfície e o vapor de água da atmosfera.

As partes do sistema água da Terra também podem ser identificadas como "reservatórios de água", lugares onde há ocorrência de água. (Os cientistas usam o termo reservatório para descrever os diferentes lugares onde há ocorrência de qualquer substância, não apenas de água.) O reservatório que contém a maior parte de toda a água da Terra, 97,25%, é o reservatório oceânico. Consulte o quadro Reservatórios de Água da Terra para comparar as quantidades em outros reservatórios, como geleiras, água subterrânea, atmosfera e organismos vivos.

Ciclos da Matéria

RESERVATÓRIOS DE ÁGUA DA TERRA		
RESERVATÓRIO	% DO TOTAL	VOLUME EM QUILÔMETROS CÚBICOS (KM³)
Oceano	97,25%	1.370.000.000
Calotas polares/geleiras	2,05%	29.000.000
Água subterrânea	0,68%	9.500.000
Lagos	0,01%	125.000
Solos	0,005%	65.000
Atmosfera	0,001%	13.000
Rios	0,0001%	1.700
Biosfera	0,00004%	600
TOTAL	100%	1.408.700.000

Também podemos comparar os diferentes reservatórios de água representando toda a água da Terra como 1.000 mililitros (1 litro) num béquer. Os oceanos contribuiriam com a maior parte dos 1.000 mililitros. Nessa comparação, por exemplo, os lagos e os rios entrariam com cerca de uma gota, e a atmosfera com uma parte muito diminuta de uma gota.

Naturalmente, a Terra contém muito mais que 1.000 mililitros. A biosfera, o menor reservatório na tabela de Reservatórios de Água, contém 600 quilômetros cúbicos*. Quanta água isso representa? O suficiente para encher 60.000 estádios cobertos. Isso significa que a água de todos os vegetais e animais da Terra encheria 60.000 campos de futebol cobertos. Assim, estamos falando de uma grande quantidade de água, mesmo nos menores reservatórios.

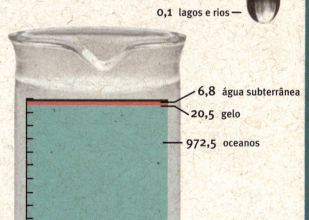

0,01 atmosfera
0,1 lagos e rios
6,8 água subterrânea
20,5 gelo
972,5 oceanos

* Um quilômetro cúbico de água enche um cubo com um quilômetro de altura, um quilômetro de largura e um quilômetro de profundidade. Um quilômetro cúbico equivale a cerca de 984.000.000.000 de litros, água suficiente para encher mais de 100 estádios cobertos.

Guia para o Planeta Terra do dr. Art

MATÉRIA

o ciclo da
água

Conheça H_2O, uma molécula de água formada por dois átomos de hidrogênio ligados a um átomo de oxigênio. A menor porção de água é uma molécula de H_2O. Cerca de cem milhões de moléculas de água colocadas lado a lado preencheriam a distância de um centímetro.

Imagine que você é uma molécula de água aqui no planeta Terra. Como vimos, a maior parte da água existe em estado líquido, e por isso é provável que você faça parte de um oceano. Você tem mais vizinhos do que possivelmente conseguiria contar. Mesmo uma gota contém um número extraordinário de moléculas de água (cerca de 3.000.000.000.000.000.000.000).

"conheça uma molécula de água"

100 milhões de moléculas de água

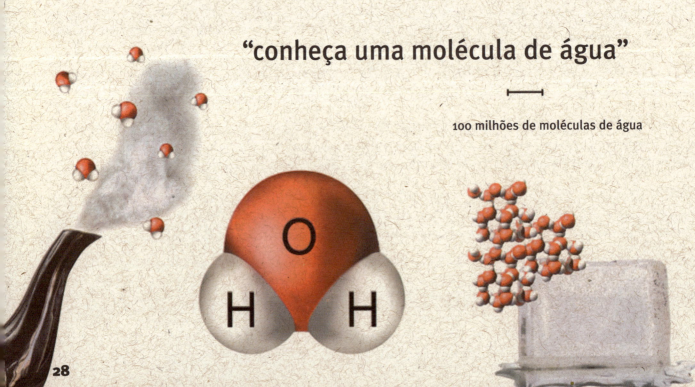

28

Ciclos da Matéria

Você está constantemente se movimentando numa velocidade da ordem de 80 quilômetros por hora, mas não chega a lugar nenhum. Você está tão intimamente ligado a outras moléculas de água, que se choca continuamente com elas e ricocheteia. Em qualquer dado segundo você percorre distâncias milhares de vezes maiores que o seu tamanho, sempre num interminável ziguezágue de oscilações para cima e para baixo, para a frente e para trás, que o deixam muito perto do ponto de partida. Se quisesse chegar a algum lugar (o que, por ser uma molécula de água, você não quer), você ficaria frustrado (é bom ser uma molécula de água sem desejos).

De repente, um feixe de energia que viaja 150.000.000 de quilômetros desde o Sol bate em você. Agora você se surpreende viajando mais rapidamente e a distâncias muito maiores. E seus vizinhos mudaram. Antes, toda a sua vizinhança era constituída de outras moléculas de água; agora, quase todas as moléculas com que você colide são moléculas de nitrogênio ou de oxigênio. Esporadicamente, você se choca com outras moléculas de água e ricocheteia para longe delas.

Finalmente, você percebe o que aconteceu. Você evaporou. Que gás! De fato, você passou ao estado gasoso. Você absorveu energia solar em quantidade suficiente para fugir da forte atração das outras moléculas de água da sua antiga vizinhança líquida. Molécula de água espantosamente corajosa, você saltou do estado líquido para o imenso desconhecido, para o rarefeito ar.

Aqui no planeta Terra, as moléculas de água se comportam desse modo o tempo todo. Do estado líquido, elas evaporam para o gasoso. Mas também fazem o caminho inverso. Quando uma grande quantidade de moléculas no estado gasoso se atraem umas às outras, elas se juntam e formam uma gota de água líquida muito, muito diminuta. Elas se juntam a outras minúsculas gotas, e antes que percebam, a gravidade as força a cair no estado líquido, precipitando-se então como chuva ou neve.

Voltando novamente o pensamento para os reservatórios de água do planeta, vemos que a evaporação e a precipitação fazem com que a água passe de um reservatório a outro. A tendência de uma molécula não é ficar presa no mesmo reservatório. Com o passar do tempo, ela muda tanto seu estado físico (gasoso, sólido, líquido) quanto sua localização física (oceano, atmosfera, geleira, rio).

Guia para o Planeta Terra do dr. Art

MATÉRIA

Vamos examinar um reservatório na ilustração do Ciclo da Água (página 31). No caso do oceano, 434 unidades (cada unidade é igual a 1.000 quilômetros cúbicos de água) saem dele anualmente, através da evaporação. Entretanto, 398 dessas unidades retornam diretamente a ele como precipitação (chuva). As 36 unidades restantes se dispersam e caem sobre o solo, principalmente como chuva ou neve. Se estas não voltassem ao oceano, ele aos poucos perderia água. Mas não é isso o que acontece. No decorrer de um ano, 36 unidades de água escoam da terra para o mar. Assim, exatamente a mesma quantidade de água que sai do oceano volta a ele, o que deixa seu volume total inalterado. A quantidade de água na atmosfera também permanece constante porque o volume que entra é igual ao volume que sai.

De uma perspectiva global de longo prazo, vemos que as mesmas moléculas de água são usadas indefinidamente. A hidrosfera, o sistema de água do planeta Terra, é um sistema fechado. Nenhuma água nova entra na hidrosfera. Nenhuma água usada sai da hidrosfera. A mesma água passa de um reservatório a outro, circulando continuamente, e sugerindo o nome que damos a esse fenômeno – Ciclo da Água. Quando estudamos o sistema da matéria do planeta Terra, o ciclo da água é uma outra razão que nos faz murmurar para nós mesmos: "ciclos da matéria, ciclos da matéria, ciclos da matéria."

TEMPO DE PERMANÊNCIA DE UMA MOLÉCULA DE ÁGUA NO OCEANO EM COMPARAÇÃO COM O TEMPO QUE ELA FICA NA ATMOSFERA

RESERVATÓRIO	QUANTIDADE DE ÁGUA NO RESERVATÓRIO	QUANTIDADE DE ÁGUA QUE ENTRA E SAI POR ANO	TEMPO APROXIMADO DE PERMANÊNCIA DE UMA MOLÉCULA DE ÁGUA NO RESERVATÓRIO
Oceano	1.370.000.000 quilômetros cúbicos	434.000 quilômetros cúbicos	1.370.000.000 divididos por 434.000 **igual 3.160 anos**
Atmosfera	13.000 quilômetros cúbicos	505.000 quilômetros cúbicos	13.000 dividido por 505.000 equivale a 0,026 de ano **= cerca de 9 dias**

Como vimos, os vários reservatórios do ciclo da água são bem diferentes no que se refere à quantidade de água que contêm. Eles também diferem quanto à taxa de entrada e saída da água. O quadro acima mostra que uma molécula de água

Ciclos da Matéria

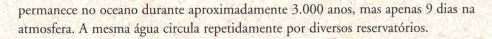

permanece no oceano durante aproximadamente 3.000 anos, mas apenas 9 dias na atmosfera. A mesma água circula repetidamente por diversos reservatórios.

Resumindo, a substância líquida da Terra, sua hidrosfera, existe em reservatórios que estão interligados pelo do ciclo da água. Esses reservatórios diferem muito em suas dimensões e na taxa de entrada e saída da água.

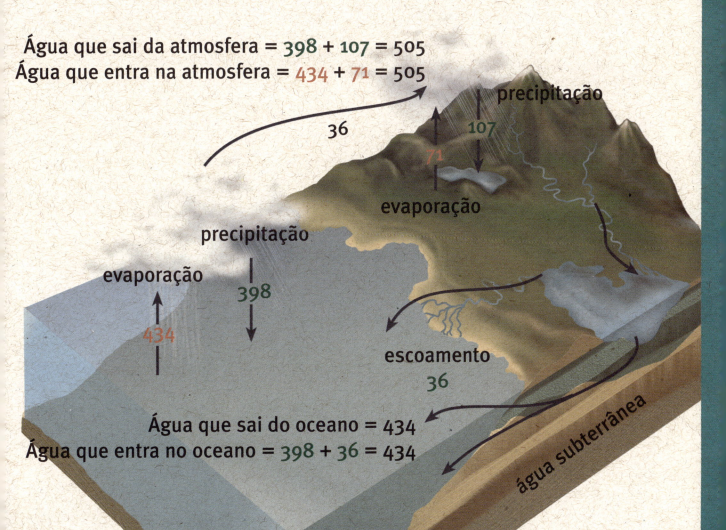

Guia para o Planeta Terra do dr. Art

MATÉRIA

Outra maneira de entender o ciclo da água: pense num dos nossos ancestrais que viveram na África um milhão de anos atrás; ou num dinossauro que viveu há 70 milhões de anos; ou ainda, imagine um búfalo que vagava pelo meio-oeste americano milhões de anos antes da chegada dos seres humanos. Seja o que for que você resolva levar em consideração, esse organismo bebeu água durante toda a sua vida. Essa água estava presente em cada gole e em cada grão, peixe ou carne que ele consumia. As moléculas de água se tornaram parte do corpo desse organismo e dele voltaram para a terra como sangue, suor, urina e vapor de água exalado.

Ciclos da Matéria

Mas... encha um copo com água. Esse copo que você segura nas mãos hoje contém mais de dez milhões de moléculas de água que um dia passaram pelo corpo do búfalo, mais de dez milhões de moléculas que percorreram o corpo do dinossauro e mais de dez milhões de moléculas de água que estiveram em contato com nossos ancestrais africanos! A água que bebemos nos une estreitamente aos seres vivos que habitaram o planeta antes de nós, aos que nele vivem atualmente e aos que estarão aqui no futuro.

GRANDE IDÉIA

A água que bebemos nos une estreitamente aos seres vivos que habitaram o planeta antes de nós, aos que nele vivem atualmente e aos que estarão aqui no futuro.

Guia para o Planeta Terra do dr. Art

MATÉRIA

a substância gasosa da
terra

A atmosfera da Terra é uma camada muito fina de ar que nos protege e sustenta. No topo de altas montanhas, quase todos nós temos problemas respiratórios porque a atmosfera é rarefeita. Quanto mais subimos, menor é a quantidade de átomos de gás na atmosfera, e mais ela se assemelha ao vazio do espaço exterior.

GRANDE IDÉIA

A atmosfera é a mais sensível e mutável das esferas da Terra.

Comparada com a geosfera e com a hidrosfera, a atmosfera é a mais sensível e mutável das "esferas" da Terra. Ela pode mudar rapidamente porque, em comparação com as outras, é muito pequena. Em termos de massa, todo o sistema Terra contém um milhão de vezes mais substância sólida do que gasosa. Por isso, se uma pequena parte da substância sólida da Terra se transforma em gás e entra no ar, ela pode afetar significativamente a atmosfera.

O nitrogênio responde por quase quatro quintos (78%) do gás da atmosfera. O oxigênio, com 21%, responde por quase todo o resto. Os outros gases da atmosfera estão presentes em quantidades muito menores, sendo o mais importante o dióxido de carbono, com cerca de 0,03%. Como todos sentimos, a atmosfera também contém quantidades variáveis de vapor de água, dependendo da localização e das condições climáticas num dado momento. O mesmo volume de ar quente acima de uma floresta tropical pode conter centenas de vezes mais água que o ar frio e seco sobre a Antártida.

Ciclos da Matéria

Espero que não seja mais surpresa para você que o nitrogênio, o oxigênio e o carbono presentes na atmosfera participam do ciclo da matéria. A esta altura, provavelmente sua expectativa é que a matéria da Terra é usada sempre de novo. Tudo no planeta é composto por átomos, e esses átomos não são criados nem destruídos. Os mesmos átomos se combinam, se separam e tornam a combinar-se indefinidamente.

Agora, concentraremos nossa atenção num dos ciclos mais importantes, o ciclo do carbono. Como todos os organismos da Terra são formas de vida de base carbono, dedicaremos atenção especial a esse ciclo. Os vegetais e os animais participam ativamente dele, permutando dióxido de carbono com a atmosfera. Atualmente, os seres humanos acrescentam à atmosfera 7 bilhões de toneladas extras de carbono, por ano, queimando combustíveis fósseis e florestas.

Guia para o Planeta Terra do dr. Art

MATÉRIA

o ciclo do carbono

É mais difícil entender o ciclo do carbono do que o ciclo da água. Com o ciclo da água, falamos da mesma molécula (H_2O). Ao realizarem o ciclo da água, as moléculas de H_2O mudam de localização física e de estado físico (gasoso, líquido e sólido). No ciclo do carbono, os átomos de carbono sofrem alterações não somente em sua condição física, mas também em sua química.

GRANDE IDÉIA

No ciclo do carbono, os átomos de carbono mudam suas parcerias químicas e também sua localização e estado físicos.

O carbono está presente na atmosfera principalmente como dióxido de carbono (CO_2; um carbono combinado com dois oxigênios). Na matéria viva e na matéria em decomposição, o carbono está presente como carboidratos e proteínas, onde se une com o oxigênio, com o hidrogênio e com outros elementos num grande número de diferentes substâncias químicas. No oceano, ele está presente principalmente como sais de bicarbonato (o bicarbonato é uma combinação de carbono, oxigênio e hidrogênio; podemos também encontrá-lo nos supermercados e nas prateleiras das cozinhas na forma de sal de cozinha). Com o ciclo do carbono, vemos os mesmos átomos de carbono mudando suas parcerias químicas e também sua localização e estado físicos (gasoso, líquido e sólido) à medida que passam de um reservatório para outro.

Ciclos da Matéria

A ilustração do ciclo do carbono na página seguinte e o quadro abaixo mostram cinco grandes reservatórios de carbono na Terra. Cada reservatório é um local importante onde o carbono existe no nosso planeta: a Atmosfera, a Biomassa, o Oceano, as Rochas Sedimentares e os Combustíveis Fósseis. Os números próximos às setas representam a taxa (em bilhões de toneladas por ano) de entrada e saída do carbono nesses reservatórios. Há alguma incerteza quanto ao valor exato desses números, mas as quantidades relativas são corretas.

RESERVATÓRIOS DE CARBONO E A ATMOSFERA				
(1 gigaton = 1 bilhão de toneladas)				
RESERVATÓRIO	FORMA DE CARBONO	QUANT. DE CARBONO	ÍNDICE DE FLUXO COM ATMOSFERA	EFEITOS HUMANOS SOBRE ATMOSFERA
ATMOSFERA	Dióxido de carbono (gás)	760 gigatons	Não se aplica	Gases de estufa estão aumentando
BIOMASSA (principalmente carbono nos vegetais e solo)	Açúcar, Celulose, Proteína, etc. (sólido, dissolvido)	2.000 gigatons	Por ano, cerca de 110 gigatons fluem em cada direção	Queima de florestas libera cerca de 1 gigaton por ano
ROCHAS SEDIMENTARES	Carbonatos (sólido)	50.000.000 gigatons	Cerca de 0,05 gigatons por ano	Desprezível
OCEANO	Principalmente sais bicarbonatos dissolvidos	39.000 gigatons	Cerca de 90 gigatons por ano; achamos que o oceano está absorvendo mais do que libera	Desprezível
COMBUSTÍVEIS FÓSSEIS	Metano (gás), hidrocarbonos de petróleo (líquido), carvão (sólido)	5.000 gigatons	Taxa natural secundária	Em torno de 6 gigatons/ano acima da taxa natural secundária através da queima de metano, óleo e carvão

Guia para o Planeta Terra do dr. Art

MATÉRIA

O modo mais fácil de entender o ciclo do carbono é observar como cada reservatório se relaciona com a atmosfera. Examinaremos como a atmosfera interage com a vida, as rochas, os oceanos e os combustíveis fósseis. Como veremos no próximo capítulo, o dióxido de carbono atmosférico desempenha um papel importante na determinação do clima da Terra. A relevância dessa função é outro motivo que justifica dirigirmos a nossa atenção para a atmosfera quando estudamos o ciclo do carbono. A atmosfera contém 760 bilhões de toneladas de carbono (de acordo com medição feita no final da década de 1990), quase todo ele presente como dióxido de carbono. Este CO_2 compõe atualmente 0,035% da atmosfera, uma porcentagem pequena, mas essencial para a vida como a conhecemos.

CICLO DO CARBONO

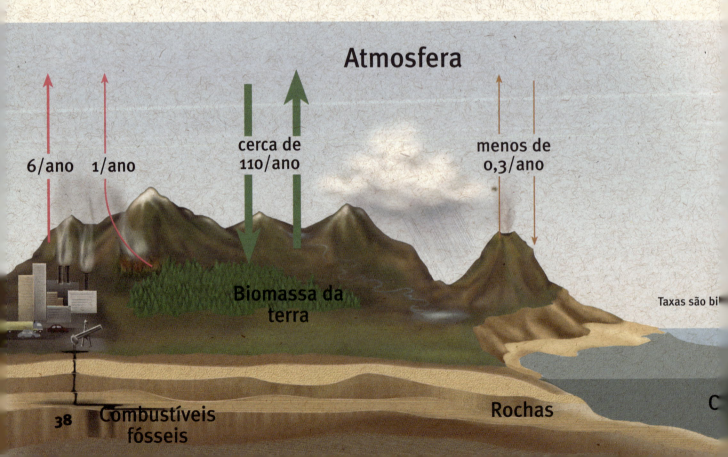

Ciclos da Matéria

A vida nos continentes (Biomassa da terra) é a parte que melhor conhecemos do ciclo do carbono. Quando pensamos na vida, geralmente nossa atenção se volta para os animais. Entretanto, essa parte do ciclo do carbono se refere de fato aos vegetais e às árvores e ao modo como eles transformam o gás dióxido de carbono em matéria viva. Essa matéria viva acaba sendo utilizada pelos vegetais, pelos animais e pelos decompositores para devolver o carbono à atmosfera, novamente em forma de gás dióxido de carbono (descrito com mais detalhes no Capítulo 4).

Durante um período médio de sete anos, todo o carbono da atmosfera sai dela e passa a fazer parte dos organismos vivos de base solo. No decurso do mesmo período, uma quantidade equivalente de carbono nesses organismos vivos ou em decomposição volta para a atmosfera como dióxido de carbono. O resultado líquido dessas interações é que a quantidade de carbono na atmosfera se mantém constante, embora os átomos de carbono saiam constantemente da atmosfera e voltem a ela à medida que circulam pelos organismos vivos.

Os oceanos se constituem num reservatório muito significativo do ciclo do carbono, contendo cerca de 20 vezes mais carbono que a biomassa da terra e 50 vezes mais carbono que a atmosfera. Esse carbono oceânico está presente principalmente como sal bicarbonato dissolvido. A taxa anual de entrada e saída do carbono atmosférico no oceano é semelhante à taxa de permuta com a biomassa da terra. Em outras palavras, a cada sete anos, aproximadamente, todo o carbono da atmosfera sai dela e passa a fazer parte do oceano. Do mesmo modo, a cada sete anos, aproximadamente, a mesma quantidade sai do oceano e volta para a atmosfera.

As rochas contêm a grande maioria do carbono da superfície da Terra, mais de 50.000 vezes a quantidade da atmosfera. Entretanto, esse imenso estoque de carbono interage com a atmosfera a uma razão muito mais lenta. Numa direção, um processo denominado desagregação das rochas pela ação atmosférica retira carbono da atmosfera. Em outra direção, fontes quentes, vulcões e outros movimentos da crosta terrestre devolvem o carbono à atmosfera desde o interior da Terra. Vimos essa parte do ciclo do carbono anteriormente, quando estudamos o nosso velho amigo, o ciclo das rochas.

39

Guia para o Planeta Terra do dr. Art

MATÉRIA

o ciclo do carbono
atualmente

Quando estudamos o ciclo da água, vimos como a quantidade de água presente em cada reservatório permanece constante. A mesma quantidade de água evapora do oceano e volta a ele na forma de chuva ou de escoamento do solo. A mesma quantidade de água entra na atmosfera através da evaporação e dela sai através da precipitação.

Os ciclos, como o da água e o do carbono, mudaram durante a história da Terra. Por exemplo, durante a idade do gelo, uma grande quantidade de água sai do oceano e fica na terra sob a forma de geleiras. Como resultado, os oceanos diminuem muito de tamanho. Ilhas podem passar a fazer parte do continente e faixas de terra podem ligar continentes antes separados.

O ciclo do carbono que vivemos atualmente está mudando, mas agora como conseqüência das ações humanas. A ilustração do ciclo do carbono nas páginas anteriores mostra que o homem está acrescentando carbono extra à atmosfera através da queima de florestas e de combustíveis fósseis.

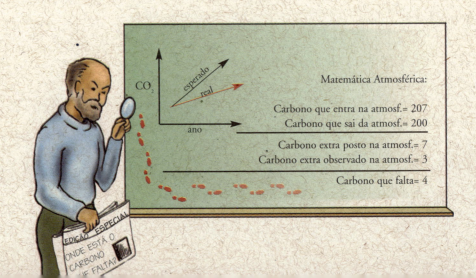

Ciclos da Matéria

A queima de combustíveis fósseis (óleo, carvão e gás natural) responde pela maior quantidade de carbono que o homem está acrescentando à atmosfera. Aproximadamente 6 bilhões de toneladas de carbono, na forma de dióxido de carbono, entram na atmosfera devido à queima de combustíveis fósseis para transporte, aquecimento, cozimento, eletricidade e industrialização. O carbono dos combustíveis fósseis deriva de organismos vivos enterrados há milhões de anos. Esse carbono esteve armazenado nas profundezas do subsolo em depósitos de óleo, carvão e gás e por isso ficou excluído do atual ciclo do carbono atmosférico.

Atualmente, o ciclo global do carbono está em desequilíbrio. Com a queima de florestas (1 bilhão de toneladas) e de combustíveis fósseis (6 bilhões de toneladas), o homem acrescenta à atmosfera, anualmente, mais de 7 bilhões de toneladas de carbono. O que acontece com todo esse carbono? Hoje, cerca de 3 bilhões de toneladas permanecem na atmosfera; como conseqüência, a concentração de carbono na atmosfera aumentou 25% no último século.

GRANDE IDÉIA

O ciclo do carbono está em desequilíbrio.

O que acontece com o resto? Como a Terra é essencialmente um sistema fechado para a matéria, o carbono extra acrescentado à atmosfera precisa ir para algum lugar. Como você pode imaginar, é difícil medir todo o carbono do oceano, das árvores ou das rochas. Conquanto ninguém possa provar a localização do Carbono que falta, os cientistas têm algumas evidências de que os oceanos estão absorvendo cerca de metade desse carbono extra e que as florestas em crescimento podem estar absorvendo a outra metade.

Nas taxas atuais de queima de combustíveis fósseis, o carbono da atmosfera pode dobrar de quantidade por volta do ano 2050. Se o oceano e as florestas em crescimento não continuarem a absorver mais da metade do carbono extra, essa quantidade pode aumentar com maior rapidez ainda. O próximo capítulo nos dá uma razão muito forte para nos preocuparmos caso o carbono atmosférico aumente em quantidade e rapidez.

Guia para o Planeta Terra do dr. Art

capítulo 3

fluxos de energia

A Energia da Terra

Parte de um Sistema Maior

A Energia do Sol

O Efeito Estufa

A Energia Interna da Terra

O Orçamento de Energia da Terra

Guia para o Planeta Terra do dr. Art

ENERGIA

a energia da Terra

Quando começamos a estudar a energia da Terra, topamos com uma pergunta que consideramos resolvida no primeiro capítulo. O que essa palavra "energia" significa? O que é energia?

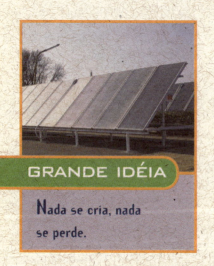

GRANDE IDÉIA

Nada se cria, nada se perde.

Talvez você fique surpreso ao descobrir que os cientistas não sabem realmente o que é energia. Podemos medi-la com muita precisão; podemos também prever exatamente como ela passará de uma forma a outra. Mas se você perguntar a um físico e insistir que ele lhe dê uma definição de energia, a resposta lhe parecerá mais um enigma do que um esclarecimento:

"Sempre que alguma coisa acontece, há uma propriedade do sistema que não muda em quantidade. A essa propriedade de um sistema damos o nome de energia."

Os livros de ciências geralmente se referem a esse fenômeno como Lei da Conservação de Energia. Em linguagem mais compreensível, dizemos que:

"A quantidade de energia é sempre a mesma. Nada se cria, nada se perde."

À primeira vista, esta lei científica não se ajusta à nossa experiência do mundo. Enchemos o tanque de gasolina na segunda-feira e depois de andar 550 quilômetros voltamos na sexta-feira para reabastecer. O fornecedor de energia local nos cobra o óleo ou o gás natural que usamos para aquecer a casa. Se nos recusarmos a pagar a conta e mandarmos uma carta para a empresa argumentando que uma lei científica nos diz que não consumimos toda a energia, qual você acha que será a resposta?

Fluxos de Energia

A Lei da Conservação de Energia tem uma visão da energia muito mais abrangente do que a que nós temos. Quando aquecemos nossa casa, só prestamos atenção ao combustível e ao calor na casa. A Lei da Conservação de Energia acompanha o calor depois que ele sai da casa, observa-o ir para a atmosfera, expandir-se no espaço exterior, e constata que ele continua existindo – ele não é destruído. Além disso, a quantidade de energia calorífica é exatamente igual à quantidade de energia química liberada pelo combustível (como gás, óleo ou madeira). A empresa não nos cobra porque destruímos a energia. Nós pagamos a conta da eletricidade e do gás porque usamos uma forma especialmente proveitosa de energia armazenada e a transformamos numa forma que é muito menos útil.

Empresa de Gás & Eletricidade Ltda.
Qualquer Cidade, EUA

Para: Nosso prezado consumidor

Obrigado por nos lembrar da Lei da Conservação de Energia. No mês passado, nós lhe fornecemos 200.000 unidades de energia que estavam contidas no carvão, no óleo e no gás natural. Essa energia provavelmente já deixou o planeta na forma de calor. Se V. Sa. puder recuperá-la e embalá-la de forma conveniente, estamos dispostos a comprá-la de volta. Caso contrário, não há nada a fazer.
Sinceramente,

N. Ergia, Serviço de Atendimento ao Consumidor

45

Guia para o Planeta Terra do dr. Art

ENERGIA

parte de um sistema maior

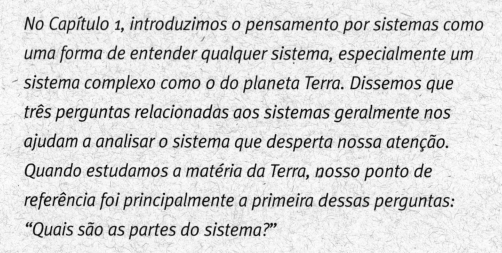

No Capítulo 1, introduzimos o pensamento por sistemas como uma forma de entender qualquer sistema, especialmente um sistema complexo como o do planeta Terra. Dissemos que três perguntas relacionadas aos sistemas geralmente nos ajudam a analisar o sistema que desperta nossa atenção. Quando estudamos a matéria da Terra, nosso ponto de referência foi principalmente a primeira dessas perguntas: "Quais são as partes do sistema?"

Examinamos as partes sólida, líquida e gasosa da Terra e descobrimos que todas elas participam de ciclos. Concluímos que a matéria no planeta Terra circula, que a Terra é um sistema essencialmente fechado para a matéria.

E se fizermos a mesma pergunta com relação à energia da Terra? Procurando as "partes" da energia, poderíamos correr por aí tentando medir o vento, as fontes quentes, os vulcões, as cascatas e as queimadas. Então, se fizéssemos uma parada e relaxássemos na praia, perceberíamos que esquecemos da fonte de energia mais importante.

Ela está longe daqui, e não é uma das partes da Terra. Ela fornece ao nosso planeta 15.000 vezes mais energia do que consomem todas as nossas sociedades. Obviamente, estamos falando do Sol. Para entender a energia do sistema Terra, precisamos abordar diferentes questões referentes aos sistemas. Em vez de voltar a atenção para as partes do sistema Terra, precisamos fazer a terceira pergunta própria dos sistemas: Como a Terra em si faz parte de sistemas maiores?

E a resposta é tão simples quanto a pergunta – a Terra faz parte do sistema solar. O Sol fornece praticamente toda a energia necessária para manter nosso planeta aquecido e com vida.

Fluxos de Energia

Como o nosso sistema solar contém muitos outros planetas, também descobrimos como é importante estar perto do Sol, mas não demais. Quando os planetas se formaram, as áreas mais próximas eram muito quentes; nenhum material tinha condições de se solidificar, só as rochas. Assim, esses planetas internos (Mercúrio, Vênus, Terra e Marte) são basicamente rochosos. Em contraste, os planetas externos (Saturno, Júpiter, Urano e Netuno) eram suficientemente frios para conservar materiais como metano e amônia, e eles se tornaram muito grandes, constituídos principalmente de atmosferas que contêm esses e outros gases.

Algumas pessoas chamam o terceiro planeta a partir do Sol de planeta "Cachinhos Dourados". Na história infantil *Cachinhos Dourados e os Três Ursos*, ela experimentou a cadeira que não era muito grande nem muito pequena, e comeu o mingau que não estava muito quente nem muito frio. A Terra não está muito perto do Sol nem muito longe; ela não é muito quente nem muito fria. Ela simplesmente está no lugar certo.

Guia para o Planeta Terra do dr. Art

ENERGIA

a energia do sol

Como a energia sempre se mantém constante em quantidade, você poderia pensar que ela não corresponde ao nome que tem, que ela é bastante monótona. Se pensasse assim, você estaria errado. A energia é... bem, energética. Apesar de não sofrer alterações na quantidade, ela muda de forma muito rapidamente.

Veja o que acontece com a energia solar que vem para a Terra. Cerca de 30% dela é imediatamente refletida ao espaço exterior como luz. Dessa, a maior parte

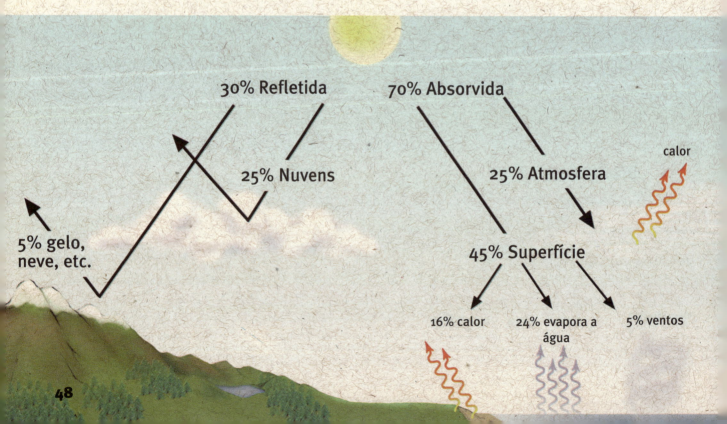

Fluxos de Energia

ricocheteia nas nuvens e não chega à superfície. Parte dela chega à superfície mas é refletida pela neve e pela água, também saindo do sistema Terra sob a forma de luz. Essa luz refletida faz com que a Terra seja visível do espaço.

Os 70% restantes da luz solar que chega à Terra são absorvidos. Como mostra a ilustração, essa absorção ocorre de várias maneiras. A maior parte é absorvida pelos materiais sólidos e pela água e é imediatamente transformada em calor. Todos sentimos esse fenômeno quando a luz solar aquece nossos corpos. O que geralmente não sentimos conscientemente é que essa energia calorífica também se irradia de nossos corpos. Qualquer material aquecido pelo Sol irradiará calor. Às vezes vemos esse calor, como nas ondas volatilizadas do ar sobre um asfalto quente. Finalmente, esse calor se irradia para a atmosfera e deixa o planeta Terra escoando para o espaço exterior.

Uma grande quantidade da energia solar evapora a água, fornecendo assim energia ao ciclo da água. A água absorve essa energia quando passa do estado líquido ao gasoso. O vapor de água então deixa os oceanos e penetra na atmosfera. Entretanto, quando esse vapor de água volta a se condensar e a reassumir seu estado líquido (chuva), esse processo de condensação libera a mesma quantidade de energia que foi absorvida no processo de evaporação. Essa energia é agora liberada como calor que vai para a atmosfera e, daí, para o espaço exterior. Assim, mesmo a luz solar que chega e ativa o ciclo da água acaba saindo da Terra em forma de calor.

O mesmo acontece com o influxo solar que é inicialmente transformado em energia de movimento do vento, das ondas e das correntes. O mesmo destino aguarda a diminuta, porém essencial, quantidade (0,08%) que os vegetais absorvem e convertem em energia química. O vento sopra num penhasco e parte de sua energia se transforma em calor. Uma vaca rumina pasto e transforma a energia química do vegetal em calor físico que vai para o espaço exterior.

Seja como for que a energia seja absorvida ou mude de forma, sua quantidade nunca aumenta nem diminui. Essa é uma característica fundamental da energia – nada se cria, nada se perde. Outra característica importante é que ela muda de forma, acabando por se transformar em energia calorífica. Toda a energia solar absorvida na Terra, sob qualquer forma que seja, acaba se transformando em energia calorífica que se irradia para o espaço exterior.

Guia para o Planeta Terra do dr. Art

ENERGIA

o efeito estufa

Usei a palavra "irradiar" como se todos soubessem o que ela significa. Na última seção, você pode até ter ficado aborrecido com as constantes repetições de que "a energia se irradia para o espaço exterior". Opa, acabei de repetir. O que queremos dizer com essa frase?

GRANDE IDÉIA

Estamos mergulhados em energia eletromagnética. Ela ricocheteia, é absorvida por nós e flui através de nós.

Você pode ter observado que evitei usar neste livro palavras científicas que talvez pudessem assustar. Bem, não estranhe, mas para explicar a energia solar e o calor que se irradia, preciso empregar uma delas – espectro eletromagnético. Muitas formas de energia bastante conhecidas são de natureza eletromagnética. Exemplos incluem a luz verde, a luz vermelha, as microondas, as ondas de rádio, a luz ultravioleta e os raios X.

Nós as chamamos de eletromagnéticas porque elas têm propriedades elétricas e magnéticas. Mais importante ainda, todas elas viajam à velocidade da luz (ou seja, com a maior rapidez com que alguma coisa pode se movimentar), não perdem energia enquanto viajam (mesmo a distâncias imensas, como do Sol até a Terra), e se deslocam como ondas.

Algumas dessas formas de energia chegam a ter a palavra onda ou raio em seu nome. Todas elas viajam como ondas e o traço que as diferencia umas das outras é seu comprimento de onda. Cada uma dessas formas de energia eletromagnética tem um comprimento de onda específico.

50

Fluxos de Energia

O comprimento de onda é que torna a luz verde diferente de uma onda de rádio e de um raio X. O comprimento de onda dos raios X é cerca de mil vezes *mais curto* que o da luz verde, enquanto o das ondas de rádio é em torno de mil vezes *mais longo* que o da luz verde. Este espectro (significando uma extensa faixa entre uma extremidade e outra) inclui ondas eletromagnéticas que diferem de mais de um bilhão de vezes no tamanho de seus comprimentos de onda.

O que nos leva ao nosso Sol. O Sol não é monótono. Ele não emite apenas um comprimento de onda. Ele irradia energia numa faixa bastante ampla de comprimentos de onda. Você sabe disso porque vê os arco-íris, exemplos naturais em que parte da luz solar se separa em seus diferentes comprimentos de onda. As ondas mais longas (que vemos como vermelho) aparecem na parte superior, e as ondas mais curtas (azuis) aparecem na parte inferior.

O Sol irradia cerca de metade de sua energia na parte visível do espectro eletromagnético. Nós evoluímos, e assim podemos ver parte da energia radiante do Sol oscilando de comprimentos de onda curtos, que vemos como violeta, até comprimentos de onda duas vezes mais longos, que vemos como vermelho. O Sol emite 40% de sua energia na região infravermelha (RI) (mais longa do que os comprimentos de onda do vermelho, que alguns animais, como as cascavéis, podem ver). Ele também emite em torno de 10% de sua radiação como raios ultravioleta (UV) (mais curtos do que o violeta, que alguns animais, como as abelhas, podem ver).

Uma onda de rádio pode ter um comprimento de onda um bilhão de vezes mais longo que o de um raio X.

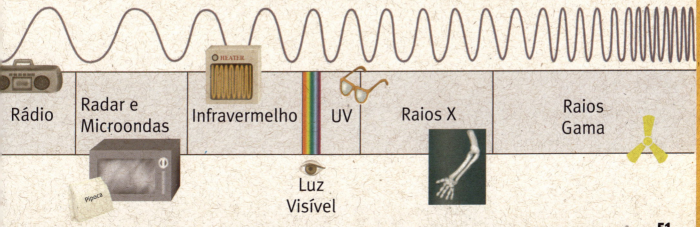

51

Guia para o Planeta Terra do dr. Art

ENERGIA

Agora que conhecemos o espectro eletromagnético e estamos à vontade com ele, podemos analisar e compreender o famoso efeito estufa. Aqui voltamos nossa atenção para a luz solar visível e para o que acontece com ela. Os raios da luz solar que não são refletidos pelas nuvens passam diretamente através da atmosfera e colidem com diversos componentes: água, rochas, solo, areia, edifícios, estradas e organismos vivos.

O que acontece com uma rocha quando raios de luz colidem com ela? A energia proveniente da luz faz com que as moléculas da rocha se movimentem mais rápido. Em outras palavras, a rocha fica mais quente. Se alguma coisa nos dá a sensação de quente, isso significa que suas moléculas têm mais energia e estão se movimentando mais rapidamente do que quando sentimos o mesmo objeto frio.

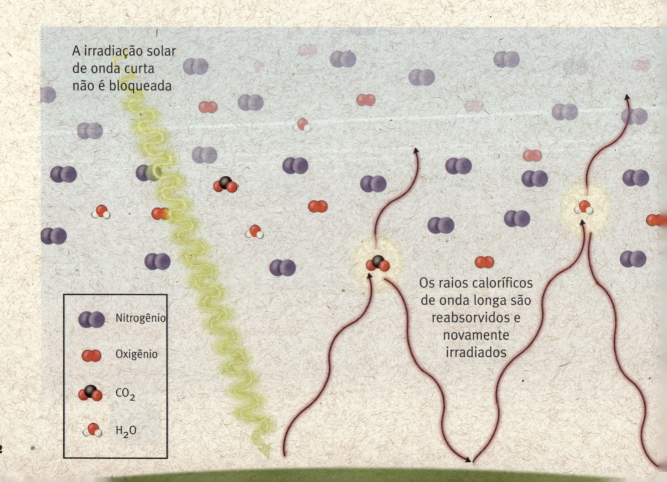

A irradiação solar de onda curta não é bloqueada

Os raios caloríficos de onda longa são reabsorvidos e novamente irradiados

Nitrogênio
Oxigênio
CO_2
H_2O

52

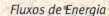
Fluxos de Energia

Os objetos quentes se mantêm quentes? Não, eles tendem a esfriar. Lembre que a energia não fica num lugar só. Um objeto quente, como uma pedra exposta ao sol, desprende parte de sua energia na forma de raios eletromagnéticos. Esses são ondas infravermelhas (mais longas que o vermelho) que retiram o calor da pedra. Quando você sente o calor de um fogo, ou de qualquer outro objeto quente que você não toca fisicamente, em geral você está sentindo raios de calor infravermelhos que o fogo ou o objeto quente irradiam para você.

Os raios infravermelhos de todo o planeta são irradiados para a atmosfera. A energia que começou como luz visível do Sol, que passou diretamente pela atmosfera e que colidiu com os objetos e os esquentou, acaba por afastar-se dos objetos sob a forma de radiação infravermelha (RI) de comprimento de onda mais longo.

Diferentemente da luz visível de comprimento de onda mais curto, essa radiação infravermelha não somente passa pela atmosfera. Determinados gases da atmosfera terrestre absorvem a energia de calor irradiada. Esses gases de estufa atmosféricos (principalmente vapor de água e dióxido de carbono) então irradiam essa energia calorífica de modo que metade dela volta para a Terra onde é absorvida antes de ser novamente irradiada de volta para a atmosfera. O resultado líquido é que a energia calorífica permanece mais tempo dentro do sistema Terra do que aconteceria se o vapor de água e o dióxido de carbono estiverem ausentes da atmosfera.

Esses gases atmosféricos são chamados de gases de estufa porque deixam passar os raios de luz, mas absorvem os raios de calor. Sorte nossa a Terra ter esse efeito estufa que diminui a taxa de evasão do calor do sistema Terra. Como resultado, a Terra é aproximadamente 33 graus Celsius (60 graus Fahrenheit) mais quente do que seria na ausência do efeito estufa. Sem os gases de estufa na atmosfera, a temperatura média da Terra estaria bem abaixo do ponto de congelamento da água. Ela seria mais fria do que qualquer das idades do gelo que a Terra conheceu.

Guia para o Planeta Terra do dr. Art

ENERGIA

a energia
interna da terra

Até agora enfatizamos a idéia de que o Sol fornece praticamente toda a energia para o planeta Terra. Essa radiação solar mantém a Terra aquecida, dá força ao vento, ativa o ciclo da água e provê energia para quase todas as criaturas da Terra.

No Capítulo 2, estudamos um tipo diferente de energia e alguns papéis importantes que ela desempenha no sistema Terra. Vimos a África e a América do Sul se separarem e o subcontinente indiano se deslocar 6.500 quilômetros e colidir com a Ásia. Que fonte de energia fornece esse poder de movimentar continentes? Nem mesmo o Sol, nossa maior fonte de energia, move continentes.

Vulcões, terremotos, gêiseres e fontes quentes nos sugerem a resposta. O interior da Terra é tão quente a ponto de derreter rochas e metais. Essa energia calorífica se movimenta constantemente enquanto se desloca lentamente para a superfície fria, para a atmosfera e para o próprio espaço exterior. O material mais quente das profundezas do interior da Terra emerge à superfície e o material mais frio desce para o interior. Esses padrões de fluxo de calor fazem com que as placas da Terra se movimentem (você se lembra das placas?), e a conseqüência são terremotos, vulcões e continentes em movimento.

Quando a Terra se formou, o calor era tão grande que o planeta inteiro consistia de rochas e metais incandescentes. Desde aquela época ela vem esfriando, com o calor subindo à superfície e se irradiando para o espaço exterior. Além disso, novo calor está continuamente sendo gerado internamente, porque os materiais da Terra contêm elementos radioativos que se desintegram e, nesse processo, liberam calor. O calor da desagregação radioativa e o calor remanescente da formação da Terra

Fluxos de Energia

fornecem a energia que movimenta as placas e separa continentes, ou que os faz se chocarem uns com os outros.

Qual o tamanho dessa fonte de energia que pode mover continentes, corroer o topo do Monte Santa Helena e criar montanhas como o Everest? O quadro abaixo compara todos os fluxos de energia da Terra. Se atribuirmos o valor 1 para a quantidade de energia que as sociedades humanas consomem, então o fluxo da energia interna da Terra é 2,5 vezes maior, e o Sol fornece 15.000 vezes aquela quantidade.

COMPARAÇÃO DAS QUANTIDADES DE ENERGIA	
TIPO DE ENERGIA	QUANTIDADE RELATIVA
Sociedades Humanas	1,0
Interna	2,5
Solar	15.000,0

Como pode algo que parece tão fraco ter efeitos tão grandes? Um ditado chinês nos dá uma pista importante: "Uma jornada de mil quilômetros começa com um simples passo." O fluxo da energia interna movimenta as placas apenas alguns centímetros por ano. Entretanto, em centenas de milhões de anos, esses centímetros chegam a milhares de quilômetros.

Assim, embora a energia geotérmica interna da Terra contribua com muito pouca energia em comparação com Sol, ela é uma parte muito importante do orçamento de energia da Terra. Tyler Volk, um cientista dos Sistemas da Terra na Universidade de Nova York, escreveu que enquanto a energia do Sol pode transformar montanhas em montículos de terra através da chuva que cai e do vento que sopra, somente a energia interna da Terra pode transformar montículos de terra em montanhas.

GRANDE IDÉIA

Somente a energia interna da Terra pode transformar montículos de terra em montanhas.

Guia para o Planeta Terra do dr. Art

ENERGIA

o orçamento de energia da terra

Podemos pensar sobre a energia da Terra em termos de um orçamento. Como num orçamento doméstico ou governamental, num determinado período de tempo, uma certa quantidade entra e uma certa quantidade sai. Uma família, uma empresa ou o governo podem pedir dinheiro emprestado, o que indica que estão gastando mais do que recebem. Com a Terra é diferente. A Terra tem um orçamento de energia equilibrado.

A quantidade de energia que sai como calor da superfície da Terra e da atmosfera para o espaço exterior é exatamente igual à quantidade de energia que chega à superfície e à atmosfera. Como vimos, a radiação solar responde pela maior parte dessa energia. Uma quantidade muito menor, mas também muito importante, vem do interior. Naturalmente, em qualquer dado momento pode haver mais energia entrando do que saindo. Porém, no decurso de um ano, ou mais, esse fluxo se equilibra e a quantidade de energia que sai fica igual à quantidade de energia que entra.

O "orçamento da matéria" da Terra seria muito diferente. Essencialmente, nada entra e nada sai. A mesma substância é usada indefinidamente. Comparando matéria e energia, dizemos que a Terra é um sistema fechado para a matéria e um sistema aberto para a energia.

O efeito estufa acrescenta uma característica importante ao orçamento de energia da Terra. Certos gases da atmosfera (principalmente o vapor de água e o dióxido de carbono) diminuem a taxa de evasão do calor do sistema Terra. De fato, esses gases fazem com que o calor fique mais tempo dentro do sistema Terra.

Fluxos de Energia

As pessoas costumam pensar erroneamente que o efeito estufa é uma coisa ruim, que é algo causado pelos seres humanos. Há bilhões de anos, o efeito estufa da Terra vem ajudando a tornar as temperaturas do planeta mais favoráveis à vida. Ele começou muito antes que qualquer coisa semelhante ao ser humano entrasse em cena.

Entretanto, pode-se sempre ter excesso de uma coisa boa. Conforme aprendemos no ciclo do carbono, estamos atualmente provocando um aumento da quantidade de dióxido de carbono na atmosfera. Acrescentando gases de estufa à atmosfera, estamos mudando o orçamento da energia da Terra. Estamos fazendo com que a energia calorífica permaneça no sistema Terra por mais tempo do que deveria. Esse é o tema da mudança climática global que examinaremos no Capítulo 5.

O motivo principal por que nos preocupamos com o orçamento de energia da Terra e com o clima do planeta é que nós e muitas outras criaturas vivemos aqui. O próximo capítulo aborda o sistema da vida sobre o planeta Terra, sistema esse em que estamos incluídos.

> A quantidade de energia que entra é igual à quantidade de energia que sai. O efeito estufa e a temperatura da Terra parecem estar aumentando.

Ano	Energia entrada	Energia saída	Efeito estufa	Temperatura média da Terra
1880	100 unid.	100 unid.	32,5 °C??	aprox. 14,5 °C
1999	100 unid.	100 unid.	33 °C??	aprox. 15 °C

Guia para o Planeta Terra do dr. Art

VIDA

capítulo 4

teias da vida

Um Planeta Vivo

Observando a Terra Respirar

Quem Está na Teia?

Ecossistemas e Ciclos de Reação
(feedback loops)

Retalhando a Teia

Guia para o Planeta Terra do dr. Art

VIDA

um planeta vivo

Na década de 1960, a NASA contratou o cientista inglês James Lovelock para projetar instrumentos de vôo espacial com o objetivo de verificar a possível existência de vida em Marte. A NASA escolheu Lovelock porque ele já havia inventado instrumentos sensíveis que podiam detectar quantidades ínfimas de substâncias químicas na nossa atmosfera. Lovelock analisou o problema e respondeu que já conhecia a resposta.

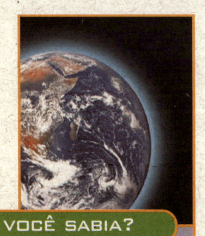

VOCÊ SABIA?

A atmosfera da Terra se destaca pela sua capacidade natural de produzir vegetais.

Basicamente, ele comparou o que já sabíamos sobre as atmosferas de planetas diferentes como a Terra, Marte e Vênus. Nos outros planetas, exceto a Terra, a atmosfera é exatamente o que se poderia prever com base nas leis sem vida da química e da física. A atmosfera da Terra se destaca pela sua capacidade natural de produzir vegetais.

Nossa atmosfera dispõe de muito oxigênio. Esse oxigênio deveria combinar-se com o ferro e com outras substâncias químicas na superfície da Terra e desaparecer da atmosfera. Além disso, nossa atmosfera tem metano, outra substância química que reage facilmente com o oxigênio (o metano entra em combinação com o oxigênio para formar dióxido de carbono e água). A única explicação para nossa atmosfera poder conter tanto oxigênio e também quantidades significativas de metano é a existência de alguma coisa além da química e da física estéreis que estivesse produzindo tanto o oxigênio quanto o metano. Esse algo é a teia da vida neste planeta.

Teias da Vida

Analisando as substâncias da atmosfera de Marte, Lovelock não detectou evidências de vida. Os organismos que vivem na superfície de um planeta usam essa atmosfera como fonte de suprimento das substâncias químicas de que necessitam e como um lugar onde liberar as substâncias químicas que produzem. A química enfadonha da atmosfera de Marte revelou a Lovelock que Marte é hoje um planeta essencialmente sem vida.

Pelo que sabemos, a Terra é o único planeta do sistema solar que contém vida. Criaturas vivas estão aqui há quase quatro bilhões de anos. A vida se integrou tão profundamente no sistema operacional de nosso planeta que a Terra sem a vida simplesmente não seria a Terra.

Quando estudamos a matéria da Terra, fizemos a primeira pergunta da área dos sistemas: "Quais são as partes de um sistema?" Quando analisamos a energia da Terra, nos concentramos na terceira pergunta: "Como o sistema em si faz parte de sistemas maiores?" Quando nos propomos a examinar o sistema de vida na Terra, temos sempre em mente a segunda pergunta referente aos sistemas: "Como o sistema funciona no seu conjunto?" O que é essa teia da vida e como ela funciona?

Guia para o Planeta Terra do dr. Art

VIDA

observando a terra
respirar

A atmosfera da Terra nem sempre teve essa química singular. Nos primeiros três bilhões de anos, ela mal dispunha de oxigênio. De onde veio o oxigênio?

Durante os três primeiros bilhões de anos, as bactérias foram os únicos organismos que habitaram o planeta. Num período ainda inicial da história dessas bactérias, elas já haviam inventado um modo de absorver a energia da luz do Sol e de armazená-la sob forma química como açúcares. No que se refere aos seres vivos, essa é provavelmente a única reação química importante. Nós a chamamos de fotossíntese, que significa "agregar com luz".

Na fotossíntese, o dióxido de carbono se combina com a água para formar açúcar e oxigênio. O oxigênio provém da divisão da água (H_2O) e é um subproduto da reação. Os organismos que realizam a fotossíntese, desde as bactérias unicelulares até as gigantescas sequóias, absorvem a energia da luz solar, armazenam essa energia sob a forma química de açúcares e liberam o oxigênio na atmosfera. Eles retiram dióxido de carbono da atmosfera e em troca lhe fornecem oxigênio.

Não significa então que o dióxido de carbono deveria desaparecer da atmosfera e que o oxigênio deveria continuar aumentando? De modo algum. Os animais e os decompositores ajudam a devolver à atmosfera o carbono absorvido pelos vegetais. Para conseguir energia, os organismos (vegetais, bactérias, animais e fungos) queimam internamente os açúcares, transformando-os novamente em gás dióxido de carbono. Essa reação, oposta à fotossíntese, recebe o nome de respiração. Os organismos liberam a energia química armazenada combinando açúcares e oxigênio para formar dióxido de carbono e água.

Apesar de não termos usado as palavras, já havíamos nos deparado com a fotossíntese e com a respiração. Uma parte da ilustração do ciclo do carbono, no Capítulo 2, reproduzida aqui, mostra duas setas ligando a Biomassa da Terra com a Atmosfera. A seta que aponta para baixo no desenho da página 62 representa a fotossíntese – plantas e árvores retirando mais de 100 bilhões de toneladas de carbono da atmosfera cada ano, e transformando-o em açúcares. A seta que aponta para cima representa a respiração – essas plantas, decompositores e animais queimam internamente o carbono do açúcar e o transformam novamente em dióxido de carbono.

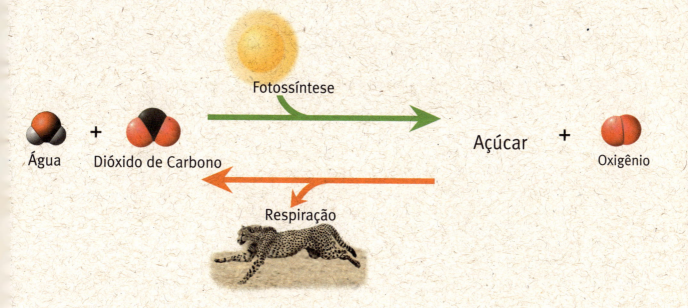

Guia para o Planeta Terra do dr. Art

VIDA

Você certamente se lembra das outras partes da ilustração do ciclo do carbono, especialmente de como estamos acrescentando carbono à atmosfera pela queima de combustíveis fósseis e de florestas. Na década de 1950, cientistas e autoridades governamentais perceberam que era preciso medir com exatidão a quantidade de CO_2 presente na atmosfera para descobrir se ela estava mudando. A estação de medição mais famosa, instalada na montanha mais alta do Havaí, dispõe de dados registrados desde 1958.

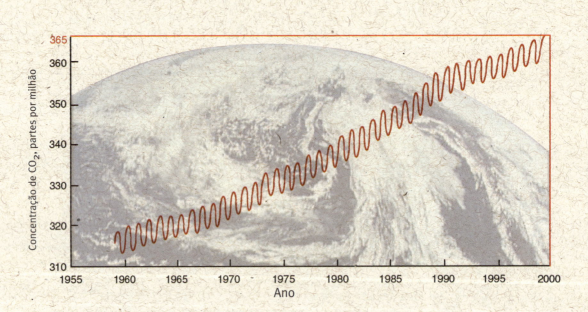

Primeiro, observe que a quantidade de CO_2 na atmosfera aumentou de 316 ppm (partes por milhão) em 1959 para 364 ppm em 1997. Tendo como referência a década de 1950, já estivéramos destruindo florestas e queimando quantidades enormes de carvão e de óleo há mais de cem anos. Para ter uma idéia melhor dos impactos humanos, seria muito interessante, e importante, conhecer os níveis de CO_2 existentes antes da revolução industrial.

Os cientistas podem medir hoje os níveis de CO_2 presentes na atmosfera da Terra centenas e milhares de anos atrás. Não, eles não viajam fisicamente de volta no tempo. Eles analisam bolhas de ar presas no gelo sob a superfície da Terra. Quanto mais abaixo da superfície, mais eles recuam no tempo. Com essa técnica, temos dados que mostram que a concentração atmosférica de CO_2 registrada era

Teias da Vida

aproximadamente de 280 ppm no ano de 1750, e havia permanecido razoavelmente constante durante os anteriores 10.000 anos. A concentração de 365 ppm em 1997 fornece fortes evidências de que as atividades humanas já causaram um aumento de mais de 25% do CO_2 atmosférico.

O que causa as ondulações no gráfico, as linhas que sobem e descem repetidamente? Os cientistas escolheram uma montanha no Havaí, no meio do Oceano Pacífico, para que as medições ficassem isoladas de qualquer poluição local. Eles ficaram confusos com as ondulações, testaram várias hipóteses e finalmente concluíram que essas linhas representam a "respiração" da Terra.

A estação do Havaí mede o ar proveniente do Hemisfério Norte. No verão de cada ano, as plantas aumentam intensamente seu nível de fotossíntese absorvendo CO_2 da atmosfera e transformando-o em açúcares. Em conseqüência, o nível de CO_2 baixa. Com a chegada do inverno, a fotossíntese diminui, enquanto a respiração continua liberando CO_2. Como resultado, os níveis de CO_2 aumentam durante o inverno acima do nível do verão. Anualmente, o nível de CO_2 começa a baixar na primavera, chega a seu nível mais baixo no final do verão ou no início do outono, eleva-se com o começo do frio e alcança seu ponto mais alto antes que a primavera/verão seguintes recomecem o ciclo. O gráfico mostra a teia da vida da Terra inspirando e expirando CO_2 no decorrer de um ano.

Cada um de nós faz parte da teia da vida, transformando os açúcares e o amido das plantas em CO_2 atmosférico. Em dias de sol, gosto de caminhar num parque, prado ou bosque e tomar consciência de que estou respirando com a vida vegetal ao meu redor. Eu inspiro o oxigênio que as plantas liberam naquele exato momento através da fotossíntese. Exalo o dióxido de carbono que elas inalam naquele exato momento através de suas folhas e da fotossíntese.

Guia para o Planeta Terra do dr. Art

VIDA

quem está na teia?

Existem na Terra quatro tipos de substâncias: sólida, líquida, gasosa e a viva. Em comparação com a matéria viva da Terra, há quatro mil vezes mais gás, um milhão de vezes mais líquido e quatro bilhões de vezes mais material sólido. Entretanto, apesar de sua pouca quantidade, a vida desempenha funções muito importantes em nosso planeta.

GRANDE IDÉIA

Temos uma idéia mais clara do número de átomos no universo do que do número de diferentes espécies que existem no nosso planeta.

Com relação à massa, quase toda a substância viva da Terra existe sob a forma de matéria vegetal. Toda a vida animal acrescenta apenas 1% à biomassa terrestre. As árvores e a matéria vegetal em decomposição respondem por quase toda a massa da substância viva da Terra.

Quanto mais perto do equador, maior é a quantidade de árvores. Em comparação com os pólos, além de ter um clima mais quente, o equador tem também muito mais terra. Como resultado, as florestas tropicais representam cerca de 40% da biomassa da Terra. Essa é uma das razões por que muitas pessoas se preocupam com os altos índices de destruição das florestas tropicais. Se queimássemos todas as árvores da Terra, essa ação duplicaria a quantidade de carbono na atmosfera.

Outra forma importante de entender a vida na Terra é analisar, em vez de sua massa, as espécies de organismos que ela abriga. A palavra "biodiversidade" se refere ao número e espécies de diferentes organismos. Sabemos muito pouco sobre a diversidade da Terra. Temos uma estimativa científica mais precisa do número de átomos no universo do que do número de diferentes espécies em nosso planeta.

Teias da Vida

Atualmente, os cientistas identificaram e classificaram cerca de 1.500.000 espécies diferentes de organismos. As estimativas do número total variam de 5 milhões a 30 milhões, ou até mais. Tudo o que sabemos sobre a grande maioria das 1.500.000 espécies descritas é a aparência que têm e o lugar onde uns poucos espécimes foram obtidos.

Onde está a biodiversidade? Também nesse aspecto as florestas tropicais desempenham um papel da maior relevância. O biólogo E. O. Wilson encontrou uma vez a mesma diversidade de formigas numa única árvore do Peru quanta fora constatada em todas as Ilhas Britânicas. Em 1875, na Amazônia, um naturalista descreveu 700 espécies de borboletas no trecho de apenas uma hora de caminhada a partir de uma aldeia ribeirinha; toda a Europa tem apenas 321 espécies diferentes de borboletas. Uma área na Indonésia, num total aproximado de 25 acres, continha tantas espécies de árvores quantas são as nativas em toda a América do Norte. Esta riqueza de biodiversidade pode desaparecer como fumaça antes mesmo de sabermos o que perdemos para sempre.

Guia para o Planeta Terra do dr. Art

VIDA

ecossistemas e
ciclos de reação

Depois de termos visto a quantidade de matéria viva que existe e as diferentes espécies possíveis, falta-nos ainda uma parte muito importante para compreender a vida na Terra. Como ela está organizada?

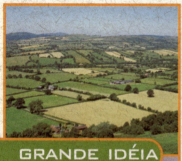

GRANDE IDÉIA

Todos os diferentes ecossistemas têm um padrão de organização semelhante.

Os milhões de espécies ocupam lugares específicos. O termo científico ecossistema se refere aos organismos que vivem num lugar em particular, às suas relações uns com os outros e às suas interações com as partes física e química do meio ambiente em que se inserem. Talvez você conheça alguns ecossistemas: um lago, um prado, um riacho, uma floresta, um recife ou um deserto.

Os ecossistemas, como também outros sistemas, podem ser descritos ou pesquisados em muitos níveis diferentes. Existem ecossistemas dentro de ecossistemas dentro de ecossistemas. Um ecossistema prado inclui plantas, insetos, esquilos, cobras, cervos, fungos e bactérias. A floresta em que o prado se localiza é outro ecossistema. Um ecossistema ainda maior seria uma montanha contendo a floresta, o prado e talvez até um lago. A teia da vida é a soma total de todos os ecossistemas da Terra.

Todos os diferentes ecossistemas têm um padrão de organização semelhante. Todos eles precisam de uma fonte de energia e um grupo de organismos que podem absorver essa energia e armazená-la numa forma química. Para a maior parte dos ecossistemas é o Sol que fornece a energia. A vida vegetal, desde as algas microscópicas até as altas sequóias, absorve a energia da luz solar e a armazena como energia química em moléculas de açúcar.

Teias da Vida

Os organismos de um ecossistema que captam a energia são chamados de produtores (assinalados abaixo com P). Todos os demais organismos do ecossistema dependem direta ou indiretamente dos produtores para obter alimento.

Os animais são consumidores, quer se alimentem de vegetais (H, herbívoros) ou de outros animais (C, carnívoros). Outro grupo de organismos consumidores decompõem vegetais e animais mortos (D, decompositores).

69

Guia para o Planeta Terra do dr. Art

VIDA

Em qualquer ecossistema, os produtores, os consumidores e os decompositores estabelecem uma rede de relações de alimentação chamada de cadeia alimentar. O mesmo material é usado indefinidamente enquanto um organismo se alimenta do outro e todos se decompõem. Reciclagem é o modo de vida do ecossistema.

A análise do fluxo de energia que passa pelo ecossistema oferece outra perspectiva de sua organização. Os organismos com a energia total mais elevada passando por eles são os produtores. Toda a energia biológica que flui pelos organismos do ecossistema deve primeiro ser absorvida por esses produtores. No decorrer da vida e da reprodução, parte dessa energia vai para a atmosfera como calor. Os herbívoros (vacas, ovelhas, esquilos, etc.) que comem os produtores gastam muita energia para manter a temperatura de seus corpos, para se acasalar, para comer e para se proteger. Essa energia finalmente vai para a atmosfera como calor. Por isso, existe menos energia biológica disponível para sustentar os carnívoros (cobras, corujas, leões, pessoas) que comem os herbívoros.

Um dos resultados é que um ecossistema tipicamente terrestre terá de cinco a dez vezes mais biomassa na vida vegetal do que nos herbívoros. Ele também sustentará de cinco a dez vezes mais a biomassa dos herbívoros do que dos carnívoros. Este modelo é muitas vezes representado como uma pirâmide em que os produtores constituem a base mais larga do ecossistema, os herbívoros representam o meio, mais estreito, e os carnívoros formam o topo, de dimensões bem menores.

70

Teias da Vida

Visualize novamente o ecossistema floresta/prado mostrado nas páginas anteriores. Imagine que uma doença nova mate todos os ratos. Como isso poderia afetar a população de coelhos?
Os coelhos poderiam aumentar em número, uma vez que haveria mais alimento para eles. Por outro lado, as corujas e as raposas poderiam comer mais coelhos para substituir os ratos dizimados. Isso causaria uma redução na população de coelhos.

É freqüente a ocorrência desse tipo de pergunta quando estudamos um sistema. O que acontece quando uma das partes muda? Como as partes se relacionam e influenciam umas às outras?
Em geral, isso pode acontecer de duas maneiras diferentes, a que denominamos ciclos de reação de equilíbrio e ciclos de reação de reforço.

GRANDE IDÉIA

Reciclagem é o modo de vida do ecossistema.

Um **ciclo de reação de equilíbrio** – surpresa! – tende a manter as coisas em equilíbrio. Predadores e presas existem num ciclo de reação de equilíbrio. Se uma população de ratos aumenta, os gaviões tendem a se tornar mais numerosos porque têm mais ratos para comer. O aumento dos gaviões então reduz a população de ratos, equilibrando assim o aumento inicial dos ratos.

Os ciclos de reação de equilíbrio são muito comuns. O termostato é exemplo de um ciclo de reação de equilíbrio. Uma sala fica muito fria, acionando o termostato para ligar o aquecedor. Quando a sala alcança a temperatura desejada, o termostato desliga o aquecedor. A temperatura da sala permanece em equilíbrio, variando apenas alguns graus acima e abaixo da temperatura programada.

Guia para o Planeta Terra do dr. Art

VIDA

Ciclos de Reação de Equilíbrio

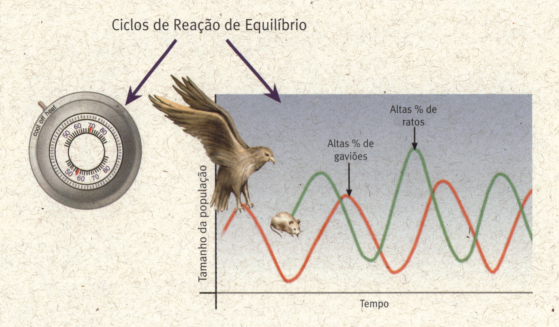

Com um **ciclo de reação de reforço**, uma mudança numa direção produz mais mudança na mesma direção. O som agudo de um microfone é um exemplo de ciclo de reação de reforço*. Como outro exemplo, pense em dez coelhos sendo levados a um continente novo, onde eles encontram alimento abundante, sem predadores naturais. Cada coelho, em média, procria dez filhotes, de modo que a população sobe rapidamente a 110. De cada um desses nascem dez novos coelhos: 110 + 1.100 = 1.210. Esse ciclo de reação de reforço (mais coelhos dão origem a mais filhotes que dão origem a mais coelhos que dão origem a mais filhotes) resulta rapidamente numa explosão populacional com milhões de coelhos "reproduzindo-se como coelhos" em toda a Austrália.

Sistemas complicados como os ecossistemas ou a teia da vida do planeta têm muitas partes em que todas, direta ou indiretamente, se relacionam umas com as outras. Uma mudança numa parte causará mudanças em outras. Algumas mudanças levam ao equilíbrio; outras são reforçadas. Todas essas influências interagem entre si, fazendo com que o sistema como um todo mude, às vezes de modo inesperado. Você provavelmente já passou por situações em que ações simples levaram a resultados imprevisíveis.

---

* O microfone capta um determinado som, alimenta com ele o amplificador, que aumenta o som ainda mais e então o retransmite para o microfone; este capta o som aumentado e torna a alimentar o amplificador; esse ciclo se repete aumentando o som cada vez mais.

Teias da Vida

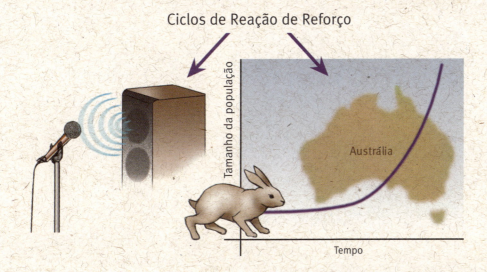

Ciclos de Reação de Reforço

"O lançamento de gatos com pára-quedas em Bornéu" é um exemplo famoso. A Organização Mundial de Saúde (OMS) pulverizou o inseticida DDT em Bornéu na década de 1950 para combater a malária, uma doença disseminada por mosquitos. As pessoas moravam em casas com telhados de palha. De repente, os telhados começaram a desabar.

Além de matar os mosquitos, o DDT havia matado vespas parasitas que caçavam as lagartas que comiam o material do telhado. Sem as vespas, as lagartas se multiplicaram fora de controle e destruíram os telhados. As lagartixas locais também morreram por comer insetos envenenados com DDT. As lagartixas que estavam morrendo eram apanhadas e comidas por gatos domésticos que então morriam por causa do DDT. A morte dos gatos provocou um aumento dos ratos, o que poderia causar um surto de peste bubônica (uma doença grave propagada pelos ratos). A OMS, então, numa tentativa de controlar a população de ratos, lançou em Bornéu gatos de pára-quedas. É evidente que eles não imaginavam isso quando fizeram a pulverização com DDT.

Continuamos aprendendo essa lição sobre a teia da vida. Todas as partes estão interligadas por meio de ciclos de reação. Quando alteramos a teia da vida, é difícil prever as conseqüências.

Guia para o Planeta Terra do dr. Art

VIDA

retalhando
a teia

Desde os primórdios, os seres humanos vêm afetando a teia da vida. Como tudo está interligado, podemos dizer a mesma coisa a respeito de qualquer organismo. A diferença é que agora temos uma imensa população humana e tecnologias poderosas com efeitos de longo alcance. Os cientistas calculam que, hoje, tiramos em torno de um terço da energia de fotossíntese absorvida e armazenada pelos vegetais.

Estamos prejudicando os ecossistemas local e globalmente pelo menos de seis modos diferentes (veja na página seguinte). Em conseqüência de todas essas ações, estamos começando a retalhar a teia da vida existente. Devemos nos preocupar? Podemos fazer algo a respeito? No próximo capítulo, analisaremos questões ambientais globais, começando com nossas ações sobre a biodiversidade. Os três princípios de sistemas da Terra (Ciclos da Matéria, Fluxos de Energia, Teias da Vida) nos ajudarão a compreender essas questões ambientais globais bem como as questões ambientais locais que iremos examinar no capítulo final.

GRANDE IDÉIA

Estamos prejudicando a teia planetária da vida de seis maneiras diferentes, pelo menos.

Teias da Vida

FRAGMENTAÇÃO DO HÁBITAT
Isolando áreas do ambiente natural

DESTRUIÇÃO DO HÁBITAT
Destruindo fisicamente o ambiente natural

POLUIÇÃO
Acrescentando substâncias químicas ao ambiente natural

EXTRAÇÃO EXCESSIVA
Madeira, pesca e caça em ritmos mais rápidos do que a natureza consegue repor

ESPÉCIES EXÓTICAS
Introduzindo plantas e animais em novos ecossistemas onde eles crescem fora de controle

MUDANÇA CLIMÁTICA
Aumentando a quantidade de gases de estufa na atmosfera, o que tem como conseqüência mudanças no clima da Terra

Guia para o Planeta Terra do dr. Art

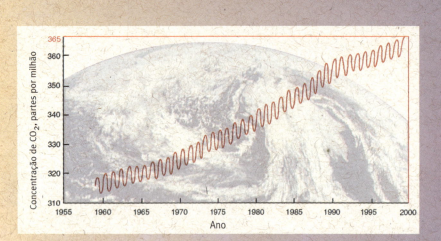

capítulo 5

pense **globalmente**

Salvar o Planeta?

Extinção

A Camada de Ozônio

As Mudanças Climáticas

Idade do Gelo ou Grande Estufa?

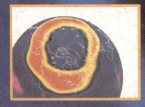

Guia para o Planeta Terra do dr. Art

GLOBALMENTE

salvar o planeta?

Você provavelmente já viu a frase "Salve o Planeta". Meu conselho? Não se preocupe em salvar o planeta Terra.

Nosso planeta já tem mais de quatro bilhões de anos e sobreviveu a calamidades muito maiores do que qualquer coisa que possamos fazer. Não podemos destruir o planeta Terra. Felizmente, não podemos nem mesmo destruir a vida em nosso planeta.

Cerca de 65 milhões de anos atrás, um grande asteróide ou cometa provavelmente se chocou contra a Terra. As evidências indicam que a força do impacto foi igual à explosão de 7.000 vezes a quantidade de todas as armas nucleares do mundo. Mesmo essa catástrofe extrema não destruiu toda a vida da Terra. É provável que ela tenha causado a extinção dos dinossauros e de 75% de todas as espécies vivas naquele tempo.

Não precisamos então nos preocupar com o modo como nossas ações podem afetar o meio ambiente? Precisamos, sim. Mesmo que não possamos destruir a vida na Terra, podemos provocar mudanças que seriam muito prejudiciais para muitos habitantes atuais do planeta, inclusive nós mesmos.

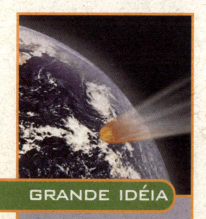

GRANDE IDÉIA

Não podemos destruir a vida na Terra.

Pense Globalmente

Aposto que você pode encontrar diariamente alguma coisa no jornal, na TV ou no rádio que trata de uma ou mais questões ambientais. Em geral, essas questões são de dois tipos – locais e globais. As questões locais dizem respeito à região próxima ao lugar em que moramos e às coisas em nosso ambiente que nos afetam todos os dias (alimento, ar, água, lixo). Por sua vez, as questões ambientais globais podem mudar as condições em todo o planeta.

Este capítulo analisa três temas que podem mudar as condições numa escala planetária. São eles:

Extinção
altos índices de extinção de espécies e dano a ecossistemas

Ozônio
destruição do ozônio na parte superior da atmosfera que protege organismos da radiação ultravioleta (UV) do Sol

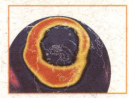

Clima
aumento dos gases de estufa na atmosfera, resultando em mudanças climáticas em todo o planeta.

Mesmo sem influências humanas, a Terra passa por mudanças importantes ao longo do tempo. Paralelamente ao estudo desses três temas ambientais globais, examinaremos como a Terra mudou no passado. Com que rapidez essas mudanças ocorreram? De quanto tempo a Terra precisa para se recuperar de uma catástrofe maior, global? Como as mudanças que os seres humanos podem estar causando hoje se comparam com mudanças anteriores?

Guia para o Planeta Terra do dr. Art

GLOBALMENTE

extinção

A vida na Terra começou em torno de 3.800.000.000 (três bilhões e oitocentos milhões) de anos atrás. Ninguém de nós estava lá para ver. De fato, durante a maior parte da história da vida, as únicas coisas vivas eram micróbios, criaturas unicelulares tão minúsculas que não conseguimos vê-las sem um dispositivo de aumento.

GRANDE IDÉIA

Durante a maior parte da história da vida, os únicos seres vivos eram micróbios.

Esses minúsculos organismos inventaram a fotossíntese (captando a energia do Sol em forma química), a motilidade (movimento numa direção), o comportamento (aproximando-se de coisas que gostam e afastando-se das que não gostam) e o sexo (partilhando informações genéticas). Através da fotossíntese, eles forneceram oxigênio à nossa atmosfera. Eles se adaptaram a muitos ambientes diferentes e mudaram nosso mundo.

Os primeiros animais multicelulares evoluíram há cerca de 550 milhões de anos. Esses organismos, habitantes dos mares, não eram providos de espinha dorsal, mas tinham sólidas conchas, algumas das quais foram preservadas como fósseis que nos revelam a aparência desses organismos primitivos.

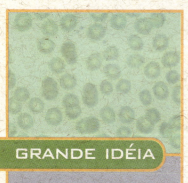

Os cientistas usam a palavra biodiversidade para descrever o número das diferentes espécies de organismos ou, em outras palavras, a variedade da vida na Terra. A ilustração na página seguinte mostra como a biodiversidade da Terra mudou no decorrer dos últimos seiscentos milhões de anos. Como é de se esperar, o gráfico aumenta da esquerda para a direita, indicando que mais espécies diferentes de organismos existem hoje do que quando apareceram os primeiros animais multicelulares.

Pense Globalmente

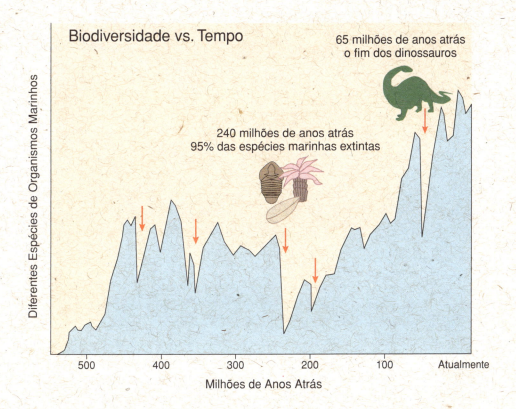

Observe que a biodiversidade sofreu alguns contratempos importantes em sua longa história. Durante os últimos 500 milhões de anos, houve cinco grandes catástrofes que denominamos extinções em massa. A maior de todas ocorreu há aproximadamente 240 milhões de anos, quando cerca de 95% das espécies marinhas então existentes desapareceram. A extinção em massa mais conhecida ocorreu há mais ou menos 65 milhões de anos, marcou o fim dos dinossauros e provavelmente foi causada pela colisão de um meteorito, acima descrita.

Depois de cada extinção em massa, a biodiversidade voltou a recuperar-se. Entretanto, o processo leva tempo, precisando de milhões de anos. Além disso, não são os organismos primitivos que de algum modo reaparecem. A recuperação envolve novas espécies que evoluem e substituem as anteriores. A extinção é definitiva.

A extinção acontece também em tempos "normais". Os biólogos estimam que esse nível de extinção menos evidente gira em torno de 10 a 25 espécies por ano. O que dizer dos dias atuais? Muitos ecologistas estão convencidos de que já estamos em meio a uma extinção em massa, dessa vez causada não por um meteorito do espaço externo, mas por criaturas nascidas na Terra que andam sobre duas pernas.

GRANDE IDÉIA

Podemos estar em meio a uma extinção em massa.

Guia para o Planeta Terra do dr. Art

GLOBALMENTE

Naturalmente, você se lembra da última parte do Capítulo 4, "Retalhando a Teia" (pp. 74-75). Os seres humanos se envolvem em seis diferentes tipos de atividades que prejudicam a teia da vida atual. Esses incluem a destruição do hábitat, a poluição e a extração (caça, pesca, derrubada de árvores) em ritmos mais rápidos do que a natureza pode repor. Em muitos ecossistemas, praticamos todos esses atos simultaneamente. Quando as pessoas migram ou desenvolvem economicamente uma nova região, elas constroem estradas que fragmentam o hábitat, derrubam as florestas, envenenam o solo e os rios com substâncias químicas, introduzem animais domésticos e matam os animais locais.

Agora estamos ameaçando mudar também o clima. Uma espécie vegetal ou animal que já sofreu um processo de redução devido à perda do hábitat e à exposição a poluentes pode não ser capaz de sobreviver a uma mudança climática. Se o novo clima tornar seu hábitat atual inviável, pode não ser tão simples "fazer as malas" e mudar-se para uma nova região onde o novo clima poderia ser favorável. Primeiro, rodovias, bairros e cidades podem bloquear o caminho. Segundo, as espécies dependem umas das outras. O clima numa região pode ser perfeito, mas um organismo não conseguirá viver nela se os vegetais e animais de que ele precisa para alimentar-se e abrigar-se não estiverem presentes.

O que está acontecendo com a teia da vida hoje? Muitos biólogos respeitáveis acreditam que já estamos entrando num processo de extinção em massa tão severa quanto as extinções em massa que ocorreram no passado. A taxa normal de extinção secundária é de aproximadamente 10 a 25 espécies por ano; a taxa atual é provavelmente pelo menos vários milhares de espécies por ano e pode ser dez vezes mais essa estimativa.

Como podemos continuar tendo uma vida normal, sem nem sequer nos darmos conta de uma extinção em massa? Bem, quase todos nós vivemos em cidades ou perto de cidades, longe das regiões onde se localiza a maior parte da biodiversidade da Terra. Vivemos longe das regiões que estão atualmente passando por uma destruição irreversível do hábitat, a principal causa da extinção atualmente. As florestas tropicais que abrigam quase metade da biodiversidade da Terra estão sendo destruídas em ritmo acelerado.

Pense Globalmente

Devemos nos preocupar com o desaparecimento de todas essas espécies? A maioria delas é de insetos e mesmo de organismos ainda menores que ninguém de nós jamais veria.

Muitas pessoas condenam as extinções porque acreditam que é moralmente errado destruir ecossistemas e provocar o desaparecimento definitivo de outros organismos. Muitos também acreditam que o mundo natural deve ser protegido simplesmente porque ele é bonito. As duas posições sustentam que devemos proteger os ecossistemas, mesmo que eles não tenham nenhuma importância prática, de caráter econômico.

Outro tipo de argumento afirma que a biodiversidade da Terra tem um enorme valor econômico e prático, e que já estamos destruindo uma riqueza insubstituível. Cerca de um quarto dos remédios produzidos nos Estados Unidos contêm ingredientes que foram originariamente descobertos em plantas. Um exemplo disso é a aspirina, o medicamento de consumo mais comum. A pervinca rósea, uma planta que se desenvolve só em Madagascar, nos deu um remédio que cura quase todos os casos de leucemia infantil, uma doença que anteriormente matava quase todas as suas vítimas.

Os vegetais desenvolveram uma incrível variedade de substâncias químicas ao longo de milhões de anos. Quando uma nova doença ou inseto ataca uma plantação, os cientistas procuram no mundo natural as variedades que são resistentes àquela doença ou inseto. Eles podem então proteger culturas importantes, como as de arroz e trigo, reproduzindo a resistência das variedades silvestres. Quando uma espécie vegetal fica extinta, podemos ter perdido para sempre uma cura para a AIDS, para o câncer ou para doenças que atacam nossas lavouras.

O mundo natural também realiza serviços que tendemos a considerar normais, inclusive limpeza do ar, da água e dos alimentos. Os organismos desempenham papéis importantes nos ciclos da matéria da Terra, como os ciclos do carbono, do nitrogênio e do enxofre.

Guia para o Planeta Terra do dr. Art

GLOBALMENTE

Quantas espécies podem desaparecer antes que a teia atual da vida se desembarace? Não sabemos. Não conhecemos os detalhes de funcionamento da maioria dos ecossistemas. Não sabemos como os ecossistemas interagem uns com os outros. Não sabemos como diferentes ecossistemas ou combinações de ecossistemas dão sustentação ao sistema global maior. Não sabemos quantas espécies existem atualmente, quantas estão se extinguindo neste momento e o que acontecerá se continuarmos tendo o mesmo comportamento que estamos demonstrando. Nós simplesmente não sabemos.

Há uma coisa que provavelmente saibamos. Os seres humanos gostam de proteger criaturas atraentes, interessantes, fortes ou meigas. Nós queremos salvar as baleias, as chitas e os pandas. Também gostamos de proteger a nós mesmos. No entanto, nós e outros carnívoros ocupamos o topo das pirâmides ecossistêmicas. Isso nos torna mais vulneráveis às mudanças nos ecossistemas.

GRANDE IDÉIA

Nós não sabemos: quantas espécies existem, quantas estão em processo de extinção, o que acontecerá com a teia da vida.

Dano ao topo... a base permanece

Dano à base... o topo entra em colapso

84

Pense Globalmente

Os produtores, que captam a energia do Sol, e os decompositores, que ajudam a reciclar a matéria, desempenham um papel crucial nos ecossistemas. Essas importantes partes da biodiversidade da Terra são os vegetais (inclusive o plâncton, conjunto de organismos microscópicos que sustentam os ecossistemas dos mares), e os feios, os invisíveis e malcheirosos (inclusive fungos, bactérias e insetos). Essas são criaturas que normalmente não vemos na TV, nos magnetos de geladeira, no zoológico ou nos artigos de jornais.

Muitos cientistas e autoridades governamentais procuram hoje proteger os ecossistemas, e não uma espécie individual. Quando uma espécie está ameaçada, podemos entender esse fato como uma advertência de que precisamos proteger os ecossistemas a que ela pertence. Podemos assim proteger os produtores, os malcheirosos, os invisíveis e os feios, e talvez, no longo prazo, também a nós mesmos.

Guia para o Planeta Terra do dr. Art

GLOBALMENTE

a camada de ozônio

A segunda questão ambiental global envolve a fina, mas vital, camada de ozônio na atmosfera superior. Esse ozônio protege os organismos da Terra da radiação ultravioleta (UV) do Sol. As substâncias químicas que o homem produz estão destruindo esse ozônio e provocando um aumento na quantidade de radiação UV que chega à superfície da Terra.

O ozônio é uma forma de oxigênio. Enquanto a forma familiar de oxigênio contém dois átomos de oxigênio (O_2), o ozônio tem três (O_3). Essa mudança na estrutura química faz com que essas duas formas de oxigênio tenham propriedades diferentes. Para viver, respiramos a forma composta de dois átomos. A forma de três átomos é na verdade bastante tóxica para nós.

Oxigênio (O_2)

Ozônio (O_3)

Pense Globalmente

\	OZÔNIO BOM E OZÔNIO RUIM		
TIPO DE OZÔNIO	ONDE ESTÁ?	COMO SURGE?	O QUE FAZ?
Ozônio "bom"	Atmosfera superior	Resultado natural da reação do oxigênio com a luz UV	Protege a vida contra os raios UV do Sol
Ozônio "ruim"	Névoa pesada das cidades	Resulta da reação dos agentes poluentes (por ex., descarga de carros) com a luz do Sol	Provoca problemas de saúde, especialmente de respiração

Felizmente, a maior porcentagem do ozônio da Terra está na atmosfera superior, 15 a 50 quilômetros acima de nossas cabeças. Lá em cima, ele absorve a radiação UV do Sol e nos protege. De fato, uma pequena porção de ozônio ocorre na atmosfera inferior que respiramos. Esse ozônio é parte da névoa pesada das cidades criada pela poluição, e é uma questão ambiental local porque ele prejudica nossos pulmões. Algumas pessoas dão a essas duas formas os nomes de ozônio bom e ozônio ruim.

Nós nos preocupamos com o ozônio bom porque ele protege a vida contra a radiação UV do Sol. Mesmo pequenos acréscimos na exposição à radiação UV podem causar aumentos de câncer de pele e de catarata nos olhos, e talvez danos ao sistema imunológico. Não sabemos quantos diferentes níveis de radiação UV prejudicarão à enorme variedade de organismos e ecossistemas interligados da Terra. No mínimo, seria mais *stress* para a teia da vida.

Se pudéssemos voltar no tempo, descobriríamos que a atmosfera da Terra nem sempre conteve ozônio. De fato, até aproximadamente 2 bilhões de anos atrás, a atmosfera não tinha basicamente oxigênio. Lembre-se de que, pelos dois primeiros bilhões de anos de vida, os únicos organismos eram micróbios que viviam no oceano, ocupados em inventar o movimento, o comportamento, o sexo, e... a fotossíntese.

Bem, eles mal sabiam, mas o oxigênio que foram produzindo pela fotossíntese acabou se acumulando a ponto de mudar a atmosfera e a história da vida na Terra. Logo que surgiu na atmosfera, o oxigênio reagiu com os raios UV que chegavam e formou o ozônio. Esse ozônio absorve a radiação UV e a impede de chegar à atmosfera inferior e à superfície da Terra. Estava preparado o palco para que a vida saísse do oceano protetor e ocupasse a terra firme.

Guia para o Planeta Terra do dr. Art

GLOBALMENTE

Usando o botão avanço rápido de nossa máquina do tempo, voltamos ao presente e lemos uma manchete de jornal que chama a atenção para o buraco de ozônio. Por que as pessoas fariam substâncias químicas que destroem o ozônio protetor em nossa atmosfera superior?

Essas pessoas estavam tentando fazer uma coisa boa. No início do século XX, os químicos tentavam criar as substâncias químicas ideais para usar nos refrigeradores. Para não se deteriorarem em pouco tempo, essas substâncias precisavam ser estáveis. Também precisavam ser quimicamente inertes, ou seja, não poderiam interagir com outras substâncias. Assim, elas não corroeriam os refrigeradores nem causariam problemas à saúde dos seres humanos.

Os químicos tiveram sucesso, e o resultado foi uma nova indústria colossal para refrigeradores e condicionadores de ar. Nós que vivemos no mundo industrial temos como definitivo que podemos ter alimentos saudáveis e refrigerados e também temperaturas internas confortáveis durante o verão. As substâncias químicas que tornaram isso possível são pequenas moléculas de base carbono que também contêm átomos de cloro e de flúor; são chamadas de clorofluorcarbonos, CFCs.

GRANDE DÚVIDA

Por que as pessoas fariam substâncias químicas que prejudicam a camada de ozônio da Terra?

Conheça um Clorofluorcarbono (CFC)

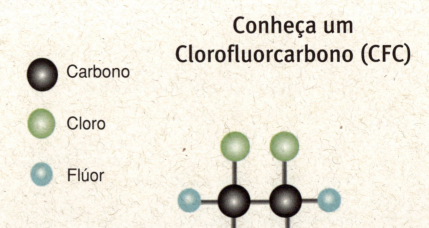

● Carbono

● Cloro

● Flúor

88

Pense Globalmente

Bem, adivinhe o que acontece com uma substância química que é muito estável e que não interage com outras substâncias!? Nada. Ela vai se acumulando. Ela não participa dos ciclos da matéria da Terra. Quantos mais usos descobrimos para ela e a aproveitamos, mais ela acaba encontrando sua posição na atmosfera e simplesmente fica por aí.

Ela fica pairando fora dos ciclos da matéria... até deixar-se levar quilômetros acima da Terra e alcançar a atmosfera superior, onde moléculas de ozônio e radiação UV interagem. Lá ela finalmente encontra algo que a quebra – radiação UV de alta energia. Quando um raio UV quebra uma molécula CFC, ela libera cloro. Infelizmente, átomos de cloro destroem o ozônio. Cada átomo de cloro CFC que é liberado na atmosfera superior pode destruir 100.000 moléculas de ozônio.

Os cientistas e ambientalistas se preocupavam com a camada de ozônio, mas os empresários e os governos em geral se opunham a fazer mudanças até que houvesse provas concretas. Depois da descoberta do buraco de ozônio, as pesquisas científicas forneceram evidências muito fortes de que CFCs provocam o buraco. Com essas informações, a comunidade mundial se organizou e tomou providências.

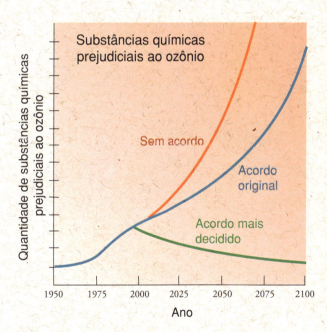

Ministros do meio ambiente de 24 países, representando grande parte do mundo industrializado, reuniram-se em Montreal em 1987 e concordaram em limitar a produção de substâncias que prejudicam a camada de ozônio. Em 1990, um acordo mais decidido propiciou reduções maiores e mais rápidas no uso dessas substâncias químicas. O gráfico mostra quanto essas substâncias químicas já aumentaram na atmosfera e as previsões do que acontecerá no futuro.

89

Guia para o Planeta Terra do dr. Art

GLOBALMENTE

Sabemos que os danos à camada de ozônio aumentam as quantidades de luz UV que chega à superfície. Como os níveis de ozônio mudam naturalmente ao longo do tempo devido às condições climáticas, à atividade vulcânica e a outras causas, não temos informações precisas sobre a quantidade de radiação UV extra que está ocorrendo neste momento devido aos CFCs e outras substâncias químicas produzidas. O que sabemos é que a camada protetora de ozônio diminuiu nas áreas habitadas, resultando no aumento da radiação UV em alguns períodos do ano. Atualmente, esperamos que a camada de ozônio se recupere lentamente e volte ao seu nível do período pré-industrial entre os anos de 2050 e 2100.

Essa questão do ozônio nos diz que surpresas muito desagradáveis podem acontecer se ignorarmos os ciclos da matéria da Terra. Nós produzimos grandes quantidades de um novo tipo de substância química. Como não puderam ser naturalmente recicladas, elas se acumularam na atmosfera, acabando por prejudicar à camada de ozônio. Estamos começando a compreender que quantidades relativamente pequenas de substâncias químicas fabricadas pelo homem podem mudar dramaticamente características importantes do sistema Terra. Felizmente, é provável que tenhamos detectado esse problema antes que se transformasse numa catástrofe global.

GRANDE IDÉIA
Surpresas desagradáveis acontecem.

90

Pense Globalmente

A Surpresa do Buraco de Ozônio

Os cientistas sabiam que devíamos nos preocupar com a camada de ozônio na atmosfera superior, pois ela é muito fina. Se todo o ozônio que lá está fosse concentrado e trazido para o nível do solo, ela formaria uma lâmina em torno da Terra de apenas 3mm de largura. Na realidade, o ozônio é muito rarefeito na estratosfera, 15 a 50 quilômetros acima do solo.

Por isso, os cientistas faziam medições dos níveis de ozônio ao redor de todo o planeta. No início da década de 1980, um grupo inglês observou que o ozônio caía sensivelmente durante os meses da primavera antártica (outono no Hemisfério Norte). Inicialmente, eles relutaram muito em publicar os resultados, alegando que os equipamentos de medição eram antigos. Os americanos, usando equipamentos sofisticados instalados em satélite da NASA, relatavam níveis de ozônio normais. Mas a equipe inglesa acabou publicando seus resultados numa importante revista científica.

De repente, centenas de pessoas começaram a falar do "buraco de ozônio". Na verdade, não se trata de um buraco, mas sim de uma vasta área sobre o Pólo Sul onde as concentrações de ozônio caem 60% ou mais durante a primavera. A área afetada é tão grande quanto os Estados Unidos e metade do Canadá juntos.

Como os cientistas da NASA não detectaram o buraco de ozônio? De fato, os dados que eles colhiam e analisavam mostravam a existência desse buraco. Acontece, porém, que os computadores haviam sido programados para ignorar todos os dados que estivessem muito fora da faixa de expectativa. Uma das lições importantes a aprender na ciência (e na vida) é a de estar preparado para surpresas, tanto agradáveis como desagradáveis.

Guia para o Planeta Terra do dr. Art

as mudanças climáticas

GLOBALMENTE

Já encontramos a terceira questão ambiental global: as mudanças climáticas. Nossos três princípios de sistemas da Terra nos ajudam a compreender essa questão. Nós estamos perturbando os ciclos da matéria com o lançamento de gases de estufa na atmosfera. Esses gases interferem nos fluxos de energia do planeta. As mudanças climáticas daí decorrentes podem prejudicar a teia da vida.

Clima é diferente de condições meteorológicas. Quando falamos em condições meteorológicas, referimo-nos à chuva, ao sol, ao calor ou ao frio em algum lugar específico, hoje ou na próxima semana. Quando falamos em clima, referimo-nos aos padrões meteorológicos ao longo de um período de tempo maior e geralmente abrangendo uma área extensa. Clima global é o padrão de temperaturas e precipitações para o planeta como um todo.

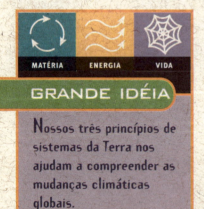

GRANDE IDÉIA

Nossos três princípios de sistemas da Terra nos ajudam a compreender as mudanças climáticas globais.

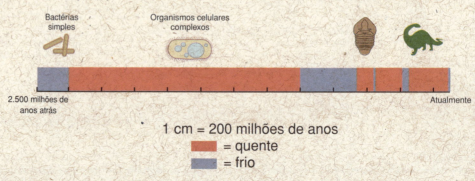

Principais períodos de frio e calor durante a história da Terra

Bactérias simples   Organismos celulares complexos

2.500 milhões de anos atrás   Atualmente

1 cm = 200 milhões de anos
▬ = quente
▬ = frio

92

Pense Globalmente

No começo, a Terra era uma massa extremamente quente, incandescente, quase em estado líquido. Depois que se acomodou, há uns 4 bilhões de anos, ela nunca ficou tão quente que os oceanos entrassem em ebulição nem tão fria que congelassem totalmente. Durante aqueles 4 bilhões de anos, a Terra se manteve em grande parte quente, com períodos esporádicos de frio. Ao longo dos últimos 2.500.000.000 de anos a Terra esteve quente durante 75% do tempo e fria em torno de 25% do tempo.

Quando está quente, a Terra tem pouco ou nenhum gelo permanente cobrindo o seu solo. Isso pode ser surpresa para as pessoas em geral, acostumadas a pensar na Terra com gelo permanente em ambos os pólos. Durante seus períodos de frio, a Terra tem muito gelo cobrindo o solo durante todo o ano.

O gelo que cobria vastas áreas da América do Norte durante a última glaciação formava uma camada com cerca de 3.000 metros de espessura; assim, o gelo era seis vezes mais alto que os edifícios mais altos de hoje!

Período quente
Sem cobertura de gelo

Atualmente
10% de cobertura de gelo

20.000 anos atrás
30% de cobertura de gelo

3000 metros

2500 metros

2000 metros

1500 metros

1000 metros

Atualmente, em torno de 10% da superfície do solo da Terra está coberta de gelo. 20.000 anos atrás, o gelo cobria quase 30% da superfície sólida da terra.

Considera-se na verdade que a Terra ainda está num período frio que dura aproximadamente dois milhões e meio de anos. Neste momento, estamos no que se chama de etapa interglacial, uma etapa quente daquele período frio. Saímos de uma Idade do Gelo mais profunda há somente uns 10.000 anos.

O edifício mais alto tem em torno de 500 metros.

93

Guia para o Planeta Terra do dr. Art

GLOBALMENTE

O que causa essas mudanças no clima da Terra? Três fatores definem um clima frio ou quente para a Terra:

- A quantidade de energia solar que entra no sistema Terra;
- O modo como a energia solar circula dentro do sistema Terra;
- O modo como a energia quente sai do sistema Terra.

Energia Solar no sistema Terra

O Sol fornece praticamente toda a energia da Terra. A órbita da Terra em torno do Sol se altera de várias maneiras. Por exemplo, a inclinação do eixo da Terra passa de 21,5 graus a 24,5 graus num ciclo de 41.000 anos. Um ciclo diferente de 100.000 anos provoca uma mudança de uma órbita quase circular para uma mais elíptica. Durante os últimos vários milhões de anos, essas mudanças parecem causar um padrão recorrente de longos períodos de frio com períodos mais curtos de calor (os interglaciais) que duram de dez a vinte mil anos.

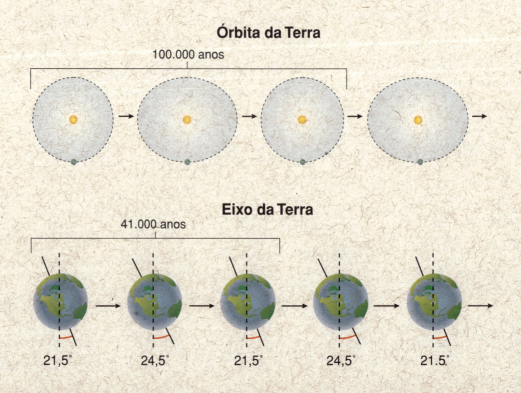

Pense Globalmente

Como a energia solar circula dentro do sistema Terra

As áreas tropicais perto do Equador recebem uma quantidade muito maior de luz solar do que as regiões polares. Resultado: lugares como o Havaí, o Equador e o Egito são muito mais quentes que a Islândia e a Antártica. De fato, com base na quantidade de energia solar que eles recebem, poderíamos prever que os lugares mais próximos do pólo (especialmente no Hemisfério Norte, onde se concentra a maior parte do solo) seriam muito mais frios do que são. No entanto, a atmosfera e os oceanos levam o calor dos trópicos para os pólos. Sem essa circulação, cidades como Londres, Paris, Moscou e Berlim seriam muito mais frias do que são hoje.

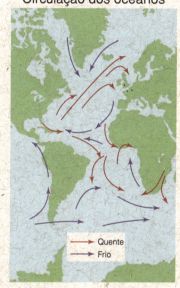

Circulação dos oceanos

Quente
Frio

Como a energia quente sai do sistema Terra

O efeito estufa (ver páginas 50-53) desempenha um papel importante aqui. O calor que se irradia da superfície da Terra não sai do sistema imediatamente. Os gases de estufa na atmosfera absorvem os raios quentes e os enviam de volta para o planeta. Como resultado, a energia permanece por mais tempo no sistema Terra e o planeta é aproximadamente 33 graus C (60 graus F) mais quente do que seria na ausência do efeito estufa".

O vapor de água e o dióxido de carbono são os dois principais gases de estufa naturais. Os cientistas analisaram bolhas de ar presas no lençol de gelo da Antártica. Os dados indicam que o nível de dióxido de carbono na atmosfera está estreitamente relacionado com o clima da Terra. Períodos de quantidades mais altas de CO_2 correspondem a climas mais quentes e tempos com CO_2 mais baixo correspondem a climas mais frios.

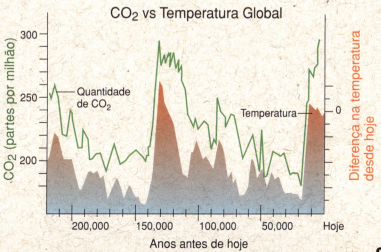

CO_2 vs Temperatura Global

95

Guia para o Planeta Terra do dr. Art

GLOBALMENTE

idade do gelo ou grande estufa?

Gostaríamos de saber a resposta ao que parece uma questão simples. Podemos esperar que o clima se mantenha como está, fique mais frio ou se torne mais quente?

Baseados nos padrões dos últimos 160.000 anos, poderíamos prever que a Terra irá aprofundar-se numa Idade do Gelo nos próximos dez mil anos. Entretanto, as atividades humanas estão lançando pelo menos seis diferentes gases de estufa na atmosfera, o que nos permite dizer que a Terra passará por um aquecimento global. De fato, evidências indicam que esse aquecimento global já começou. As duas últimas décadas do século XX registraram as temperaturas mais elevadas da história humana.

Modelos computacionais prevêem que as temperaturas globais aumentarão de 1 a 4 graus centígrados nos próximos 100 anos. Isso pode não parecer muito, mas considere que os períodos mais frios e mais quentes nos vários milhões de anos passados envolveram mudanças de apenas 5 a 10 graus C. Além disso, estamos provocando essas mudanças a uma velocidade extremamente rápida. O aquecimento anterior deu-se numa média de 1 grau C a cada mil anos. Podemos estar fazendo com que as temperaturas mudem 10 a 40 vezes mais rápido.

Não sabemos como o sistema Terra reagirá a essas mudanças. O clima da Terra resulta de uma combinação verdadeiramente desconcertante de ciclos de reação interligados (ver páginas 72-73). Alguns exemplos incluem:

CICLO DE REAÇÃO DE REFORÇO

À medida que as regiões do norte polar aquecem, o metano congelado (um gás de estufa) pode evaporar e causar ainda mais calor.

A temperatura continua aumentando

Pense Globalmente

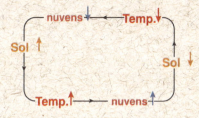

CICLO DE REAÇÃO DE EQUILÍBRIO

Um mundo mais quente terá mais nuvens. Com as nuvens bloqueando a luz do Sol, o clima pode esfriar.

A temperatura se mantém equilibrada

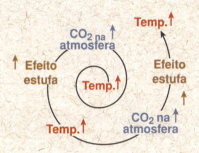

CICLO DE REAÇÃO DE REFORÇO

À medida que o oceano esquenta, ele absorve menos CO_2, aumentando a quantidade deste na atmosfera.

A temperatura continua subindo

SURPRESA!!

Temperaturas mais elevadas podem causar mudanças que detêm as correntes oceânicas que levam o calor do Equador para o Pólo Norte. O esfriamento de áreas de solo no norte pode desencadear uma Idade do Gelo severa.

Temperatura quente dá origem a uma Idade do Gelo

A mensagem é que estamos realizando um experimento sem controle com os ciclos da matéria da Terra, com os fluxos de energia e com a teia da vida. Um clima quente pode trazer conseqüências nefastas: aumento dos níveis dos mares; aumento de eventos meteorológicos catastróficos (tornados, furacões, inundações); alterações profundas na agricultura; migração de doenças, como a malária, para novas áreas; e *stress* crescente sobre a teia da vida. Os custos sociais e econômicos poderiam ser enormes. Devemos mudar? Que alternativas temos? O último capítulo nos dará alguma resposta?

Guia para o Planeta Terra do dr. Art

capítulo 6

aja localmente

Ar, Água e Alimentos Saudáveis

Os Três Rs

Ecossistemas Locais

O Que Dizer da Energia?

O Que Eu Posso Fazer?

O Que Realmente Importa

Ainda não é o Fim

Guia para o Planeta Terra do dr. Art

ar, água e alimentos saudáveis

*Como você se sentiria caso se deparasse com o seguinte painel nas ruas do seu bairro? "A*DVERTÊNCIA DO DEPARTAMENTO DE SAÚDE PÚBLICA*: Não beba a água. Não respire o ar. Não coma o alimento."*

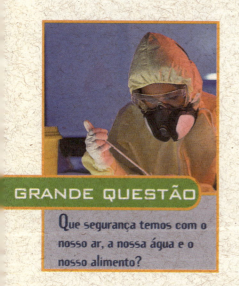

GRANDE QUESTÃO

Que segurança temos com o nosso ar, a nossa água e o nosso alimento?

Quase todos ficamos muito preocupados quando ouvimos dizer que nosso ar, nossa água ou nosso alimento podem nos levar à doença em vez de manter nossa saúde. Talvez o locutor da rádio local nos recomende ficar em casa em certos dias porque o ar está com altos níveis de poluição. Em 1997, a Agência de Proteção Ambiental dos Estados Unidos relatou que 107 milhões de americanos respiravam ar poluído, causado principalmente pelo ozônio proveniente da queima de combustíveis fósseis.

Que segurança temos com o nosso ar, a nossa água e o nosso alimento? Em muitas partes do mundo, muitas pessoas ainda adoecem e chegam a morrer porque a água que bebem contém organismos que provocam doenças como a cólera. Por outro lado, os que vivem nos países desenvolvidos em geral não precisam se preocupar com doenças causadas por germes ou vermes que contaminam a água, o ar e o alimento. Nossas preocupações com a saúde ambiental local voltam-se para as substâncias químicas que podem estar em nosso ar, nossa água e nosso alimento.

Você provavelmente se surpreenderia se fizesse uma lista de todas as substâncias químicas presentes nos produtos que usamos, nos combustíveis que consumimos e no alimento que ingerimos. Fazemos e usamos milhares de diferentes substâncias que nem mesmo existiam anteriormente na natureza, ou então estavam presentes em ambientes localizados em quantidades muito limitadas. Essas incluem elementos simples como chumbo em tintas e também substâncias complexas cujos nomes são tão longos que só conseguimos identificá-las por suas iniciais.

Aja Localmente

Você se lembra dos "ciclos da matéria", um dos nossos três princípios dos sistemas da Terra? Nada simplesmente desaparece. Quando lançamos substâncias químicas no ar, na água e no solo, não devemos nos surpreender se elas aumentam em quantidade. Elas podem não se classificar entre os ciclos da matéria natural existentes. Cada substância química terá seu próprio padrão com relação ao lugar onde se acumula, ao modo como se dissipa e à forma como interage com outras substâncias e com organismos como os seres humanos. No mundo desenvolvido, as preocupações com o ar, a água e os alimentos saudáveis em geral surgem porque não prestamos atenção suficiente ao princípio de que a matéria tem ciclos.

Ingredientes:

Farinha de milho, gordura vegetal, sal, preparado condimentado sabor presunto (sal, amido modificado, soro de leite, leite em pó desnatado, queijo, gordura vegetal, farinha de arroz, extrato de carne, açúcar, óleo vegetal, maltodextrina, realçador de sabor glutamato ...ssódico, antiumectantes dióxido de silício ...to tricálcico, aromas idêntico ao natural ...ijo e fumaça e corante natural urucum), ...ha de arroz integral e estabilizante celulose microcristalina.

Composição: Água Desmineralizada; Glicerol; Éter Estearílico Etoxilado (2M); Silicone; Alcoóis: de Berrenila e Benzílico; Estearato de Polioxietileno (40M); Nylon; Hidróxido de Amônio; Óleo de Soja Hidrogenado; Lactato Laurílico; Hidroxietilcelulose; Silicato Hidratado de Alumínio e Magnésio; Perfume; Metilparabeno; Vitaminas: E e C; Extrato Glicólico de Sabugueiro; EDTA Tetrassódico; Palmitato de Vitamina A; Bisabolol; BHT; Hialuronato de Sódio e Betacaroteno.

Ingredientes Ativos:
p-Metoxicinamato de 2-Etilhexila — 75,0mg/g
Ácido Lático — 30,0mg/g
Benzofenona 3 — 30,0mg/g
Ácido Glicólico — 10,0mg/g

■ **Ingredientes**:
Batata Desidratada em Flocos, Amido, Maltodextrina, Sal, Glutamato Monossódico, Proteína Vegetal Hidrolisada, Carbonato de Cálcio, Salsa, Flocos, Carbonato de Magnésio, Mix Mínero-Vitamínico, Goma Guar, Carragena e Óleos Essenciais de Cebola e Alho.

Ingredientes: Carne Bovina, Carne Suína, Água, Carne Mecanicamente Separada de Ave, Proteína Vegetal, Farinha de Trigo, Sal, Cebola, Alho, Glutamato Monossódico, Pimenta Branca, Estabilizante Tripolifosfato de Sódio, Antioxidante Eritorbato de Sódio e Conservador Nitrito de Sódio.
CONTÉM GLÚTEM

Guia para o Planeta Terra do dr. Art

LOCALMENTE

os três Rs

Ar, água e alimento saudáveis – essa é uma das questões ambientais locais. A segunda questão local se refere à grande quantidade de substâncias não-tóxicas com que nos envolvemos. Mesmo as coisas mais seguras criam uma questão ambiental local com que praticamente todos nós nos deparamos diariamente: o lixo. Depois de usar uma coisa, precisamos saber onde colocá-la.

VOCÊ SABIA?

Anualmente, a indústria movimenta, minera, extrai, escava, queima, perde, bombeia e elimina 1.800.000 quilos de material para atender às necessidades de uma família americana de classe média.*

Essas duas questões ambientais locais (saúde ambiental e lixo) decorrem do fato de não darmos a devida atenção aos ciclos da matéria. Para manter um ambiente saudável, preocupamo-nos com a qualidade das substâncias que usamos. Queremos ter certeza de não ficar expostos a substâncias químicas em conseqüência do modo como são produzidas, manipuladas e eliminadas. No caso do lixo, preocupamo-nos com a quantidade de material que usamos, com sua procedência e com o destino que lhe damos.

Procure fazer o seguinte experimento. Leve um saco de lixo com você durante um dia inteiro. Em vez de jogar coisas fora, coloque-as nesse saco. No fim do dia, pese seu saquinho de lixo. Acrescente ao peso encontrado 600g para cada litro de gasolina que você queimou durante o dia (calcule dividindo os quilômetros rodados pela quantidade de litros consumidos, por pessoa). Agora multiplique esse peso por 18 para calcular quanto lixo sólido você produziu nesse dia.

Capitalismo Natural, Paul Hawken, Amory Lovins e L. Hunter Lovins. Publicado pela Editora Cultrix, São Paulo, 2000.

Aja Localmente

A gasolina contribui com o lixo produzido ao suprir todas as nossas necessidades de energia. Mas por que multiplicar por 18? Porque não vemos quase nada do refugo sólido que produzimos. A indústria criou quase 18 quilos de lixo sólido para produzir cada quilo de material que jogamos fora. Como exemplo extremo, são necessários cerca de 9.000 quilos de material para fabricar um computador *laptop* de dois quilos e meio.

Os três Rs podem reduzir drasticamente essas quantidades espantosas de lixo que produzimos.

REDUZA

use menos material. Exemplos: talvez você não precise realmente de sapatos novos; compre produtos que usam menos embalagem e que duram mais; economize energia.

REUTILIZE

use o mesmo produto muitas vezes. Exemplos: sacolas para compras; comprar roupas já usadas; consertar alguma coisa em vez de jogá-la fora.

RECICLE

faça alguma coisa nova com material velho. Exemplos: adubo, latas de alumínio e papel reciclado.

Os consumidores podem reduzir o lixo praticando os Três Rs e apoiando empresas que prestam mais atenção aos ciclos da matéria da Terra.

103

Guia para o Planeta Terra do dr. Art

LOCALMENTE

ecossistemas locais

Eu cresci na cidade de Nova York. Meu ambiente eram altos prédios de apartamentos construídos lado a lado, sem espaço entre si, e ruas tomadas por carros estacionados em fila dupla. Quando pequeno, eu achava que o parquinho onde eu me divertia era um depósito de lixo em cima do concreto; nem grama nem árvores nem esquilos conseguiam sobreviver nesse lugar.

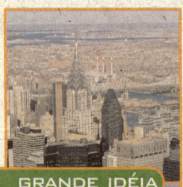

GRANDE IDÉIA

Não podemos fazer com que os ambientes urbanos de hoje voltem a ser selvagens.

Há apenas 500 anos, o meio ambiente local das populações era muito diferente. Com um décimo a menos em número e uma porcentagem muito mais alta vivendo da terra, com a prática da caça e da agricultura, as pessoas mantinham um contato muito mais direto com o mundo natural. Seus ecossistemas locais pareciam, ou até eram, o que hoje qualificamos como selvagens.

Não podemos fazer com que os ambientes urbanos de hoje voltem a ser selvagens. Alteramos os hábitats irreversivelmente; destruímos a flora e a fauna locais; introduzimos animais e plantas do nosso gosto; e poluímos a terra, o ar e a água. Entretanto, se quisermos, podemos reduzir a quantidade de novos danos que causamos, e podemos inclusive começar a recuperar a saúde biológica de nossos ambientes locais.

Aja Localmente

A Vigilância Urbana de Chicago mostra como uma comunidade urbana pode pesquisar e ajudar a recuperar seu ambiente local. Sob a liderança do Field Museum of Natural History, milhares de moradores participam voluntariamente de um projeto que tem por objetivo pesquisar cientificamente áreas naturais em seus ambientes locais. Cientistas pesquisadores do Field Museum e do Illinois Department of Natural Resources definem os organismos que os voluntários devem observar e as informações e características que devem levantar; ensinam também a analisar os dados que famílias, estudantes e grupos da comunidade coletam.

As pessoas se deslocam para as áreas verdes da cidade, como jardins, terrenos baldios, parques e campos de golfe. E, adivinhe? Os cientistas querem que elas procurem aqueles organismos "invisíveis", malcheirosos e feios que mencionamos no último capítulo e dos quais dissemos que desempenham papéis importantes nos ecossistemas. Os participantes da Vigilância Urbana usam a Internet (www.fmnh.org/UrbanWatch) para aprender sobre os organismos existentes em Chicago e para comunicar aos demais os dados que colhem. O projeto tem como objetivo usar essas informações para ajudar os cientistas, os administradores públicos e os residentes locais a protegerem e sustentarem seus ecossistemas urbanos locais.

A Vigilância Urbana de Chicago ajuda os habitantes da cidade a identificar organismos em seus ecossistemas locais.

105

Guia para o Planeta Terra do dr. Art

LOCALMENTE

o que dizer da energia?

Até aqui, neste capítulo, vimos as questões relacionadas com a matéria e com a vida. Mas o que dizer da energia? Como ela faz parte das questões ambientais locais?

Obviamente, a energia desempenha um papel muito importante em nossa vida diária. Usamos energia quando vamos de um lugar a outro; quando aquecemos, refrigeramos e iluminamos nossas casas e empresas; quando cultivamos, distribuímos, preservamos e cozinhamos nossos alimentos; e quando lavamos a nós mesmos e nossas roupas. Em tudo o que fazemos, usamos uma fonte de energia, como gasolina para o carro, gás natural para o fogão, eletricidade para a geladeira, luz do Sol para o aquecimento da água.

Atualmente, a maior parte dessa energia provém de combustíveis fósseis. Carvão, petróleo e gás natural representam em torno de 80% da energia comercial consumida nos Estados Unidos e no resto do mundo. Sempre que queimamos um combustível fóssil, liberamos dióxido de carbono e assim aumentamos o efeito estufa. O uso de combustíveis fósseis também causa poluição devido aos processos de combustão, mineração, transporte e refino.

As questões relacionadas com a poluição e o efeito estufa nos remetem ao princípio de que a matéria comporta ciclos. Sempre que usamos matéria para obter energia, precisamos prestar atenção ao lugar de onde essa matéria veio e para onde ela vai.

Ninguém de nós queima petróleo, carvão e gás natural pelo simples prazer de queimar. Nós precisamos de serviços, como transporte, calor, luz, entretenimento, etc. Podemos usar fontes de energia para atender a essas necessidades e reduzir os impactos que causamos sobre os ciclos da matéria?

Amory Lovins, físico e consultor em energia, responde com um sim categórico. O Instituto Rocky Mountain, dirigido por Amory e Hunter Lovins, sustenta que podemos economizar quantidades enormes de energia usando as tecnologias mais recentes de eficiência energética em nossos carros, casas, empresas e indústrias. A

Aja Localmente

residência/escritório deles em Snowmass, Colorado (onde as temperaturas de inverno podem chegar a 40 graus negativos), está tão bem projetada que o Sol fornece 99% do aquecimento do ar e da água. Situados a mais de 2.000 metros de altura, os Lovins colhem bananas em dezembro cultivadas dentro de sua casa/escritório!

A idéia dos Lovins é reduzir drasticamente a quantidade de energia necessária para serviços como aquecimento e refrigeração. Por exemplo, eles usam janelas superisolantes que fornecem luz natural em abundância. Diferentes das janelas comuns, essas atuam como barreiras que impedem que a energia entre ou saia da casa. Por contraste, uma casa ou escritório comuns precisa consumir combustível para compensar o calor que sai pelas janelas no inverno e para o calor que entra por elas durante o verão.

As pessoas e grupos que se propõem decididamente a melhorar a eficiência da energia também sustentam que a sociedade pode e deve suprir suas demais necessidades energéticas usando fontes de energia renovável, como energia solar, eólica e hídrica. Quando estudamos a energia, no Capítulo 3, descobrimos que o Sol fornece 15.000 vezes mais energia do que a quantidade consumida por todas as sociedades humanas atualmente. Essas fontes de energia renovável tendem a causar menos poluição que os combustíveis fósseis, e geralmente não aumentam o efeito estufa. Um aspecto menos positivo dessas fontes é que elas são de difícil obtenção.

Outras pessoas e grupos argumentam que não precisamos nos preocupar muito com o efeito estufa, que os combustíveis fósseis podem ser usados de maneira limpa e que a adoção de fontes renováveis implica custos tão altos que podem desestabilizar a economia. Quase todos concordam que melhorar a eficiência faz sentido, mas há divergências com relação à quantidade de energia que pode ser economizada com essas fontes. Concordo com o Instituto Rocky Mountain que uma combinação dos fatores eficiência energética/fontes de energia renovável pode possibilitar aos habitantes tanto de nações desenvolvidas como de países em desenvolvimento que tenham uma qualidade de vida adequada com menos impactos ambientais do que os atualmente constatados.

107

Guia para o Planeta Terra do dr. Art

LOCALMENTE

o que eu posso fazer?

Imagine que hoje seja seu dia de sorte. Uma pessoa muito rica diz que lhe dará um milhão de reais por dia durante trinta dias OU 25 centavos hoje, 50 centavos amanhã, um real no terceiro dia, e assim por diante, duplicando a quantia durante 30 dias. Que alternativa você escolheria?

Na primeira escolha, você receberia 30 milhões de reais. Na segunda, apesar de começar com apenas 25 centavos no primeiro dia, você receberia 134 milhões no trigésimo dia! Faça a conta você mesmo para ver como isso funciona.

Usamos a expressão "crescimento exponencial" para esse tipo de aumento explosivo de quantidade. Podemos alterar hoje o funcionamento do nosso planeta porque o crescimento exponencial vem aumentando exageradamente tanto nossa população quanto a quantidade de materiais que usamos. Os seres humanos modernos tiveram origem há aproximadamente 200.000 anos. Foi necessária toda a nossa pré-história e até o ano de 1800 para que a população alcançasse 1 bilhão de pessoas. Daí, bastaram 130 anos para que outro bilhão se somasse ao primeiro. Atualmente, a população humana aumenta 1 bilhão de pessoas a cada 12 anos, aproximadamente.

QUANTO VOCÊ GANHA POR DIA?

Dia	Valor
1	0,25
2	0,50
3	1,00
4	2,00
5	4,00
6	8,00
7	16,00
8	32,00
9	64,00
10	128,00
11	256,00
12	512,00
13	1.024,00
14	2.048,00
15	
16	
17	
18	
19	
20	131.072,00
21	
22	
23	
24	
25	4.194.304,00
26	
27	
28	
29	
30	

CRESCIMENTO EXPONENCIAL DA POPULAÇÃO	
População Total (Ano)	Número de Anos
1 bilhão (1800)	200.000 anos
2 bilhões (1930)	130 anos
3 bilhões (1960)	30 anos
4 bilhões (1975)	15 anos
5 bilhões (1987)	12 anos
6 bilhões (1999)	12 anos

Aja Localmente

A maior parte dessa população vive em países em desenvolvimento, como a China, América do Sul, Índia, África e Indonésia. Em torno de 15% da população mundial vive em países desenvolvidos, como Estados Unidos, Europa Ocidental e Japão. Embora sejam minoria, os cidadãos desses países tendem a causar um impacto maior sobre o meio ambiente devido aos seus altos níveis de consumo e à sua tecnologia avançada. Um americano comum gasta 106 vezes mais energia comercial que um cidadão de Bangladesh.

Se todos vivessem segundo o modo de vida americano, os impactos ambientais seriam imensamente maiores. Muitos de nós que vivemos no mundo desenvolvido compreendemos essa situação e nos preocupamos com o ambiente. Nove entre dez americanos concordam que a proteção ao ambiente exigirá que todos façamos mudanças importantes em nosso modo de vida.

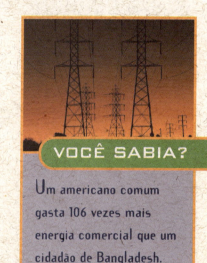

VOCÊ SABIA?

Um americano comum gasta 106 vezes mais energia comercial que um cidadão de Bangladesh.

Mas o que podemos fazer? Ouvimos falar em reciclagem, seleção de papel ou plástico no supermercado, luzes apagadas, rodízio de carros e uso de fraldas reutilizáveis ou descartáveis. Dentre as muitas coisas que poderíamos fazer, quais as que realmente fazem maior diferença?

Um livro da Union of Concerned Scientists nos ajuda a decidir. O *The Consumer's Guide to Effective Environmental Choices* analisa a sociedade americana e explica como as diferentes coisas que fazemos diariamente afetam o ambiente. Incluo as conclusões neste *Guia para o Planeta Terra do dr. Art* porque os autores, dr. Michael Brower e dr. Warren Leon, usam o pensamento por sistemas de base científica. Eles adotam a abordagem dos sistemas que descrevemos no Capítulo 1. Brower e Leon analisam as diferentes partes do nosso sistema de consumo, estudam o inter-relacionamento dessas partes e mostram como elas integram o ambiente maior.

Guia para o Planeta Terra do dr. Art

LOCALMENTE

O gráfico de barras resume as conclusões desses pesquisadores. Primeiro, eles se concentraram em quatro tipos principais de impactos ambientais. Dois desses são questões ambientais globais que discutimos no capítulo anterior (aquecimento global = mudança climática global; alteração do hábitat = extinção/perda da biodiversidade). Os outros dois são grandes questões ambientais locais (poluição do ar e da água). Eles não incluíram nossa terceira questão ambiental global (camada de ozônio). Como os CFCs não são mais fabricados, nossas ações como consumidores não fazem mais sentido para a questão.

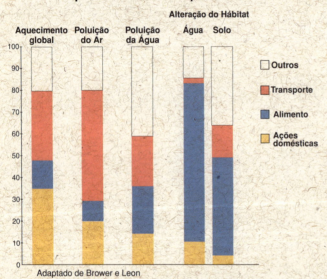

Adaptado de Brower e Leon

De acordo com esse estudo, três atividades explicam a maioria de nossos impactos ambientais como consumidores – o transporte, o alimento e as ações domésticas. Em outras palavras, devemos dirigir toda a nossa atenção ao que usamos como meio de transporte, ao que comemos e ao que fazemos para manter nossa casa funcionando (especialmente, aquecendo, refrigerando e iluminando). Essas três atividades representam cerca de 75% dos impactos que, como consumidores, causamos sobre o aquecimento global, sobre a poluição do ar e da água e sobre o hábitat.

O transporte representa 32% de nossos impactos como consumidores sobre o aquecimento global e 51% de nossos impactos sobre a poluição tóxica do ar. Esta última é conseqüência direta de nosso instrumento e brinquedo preferido, o carro/camioneta pessoal. Grande parte da solução está em dirigir menos e usar veículos que façam maior quilometragem por litro de gasolina e liberem a menor quantidade possível de poluentes. Se dirigimos um "beberrão" de gasolina para comprar um litro de leite no mercado, pouca diferença faz o tipo de sacola que usamos para trazer o leite, se de papel, plástico, ou mesmo nenhuma – pois criamos impactos ambientais muito maiores indo ao mercado de carro.

O alimento causa impactos ambientais enormes, especialmente nas áreas de poluição da água e de alteração do hábitat. O cultivo de alimentos e as atividades

Aja Localmente

pastoris ocupam 60% da área de terra dos Estados Unidos. Fertilizantes, pesticidas, estrume animal e erosão, tudo isso afeta a qualidade da água. Brower e Leon recomendam que reduzamos o consumo de carne vermelha. A carne vermelha tem impactos ambientais muito maiores do que as carnes brancas e os cereais. Comparada ao macarrão, a carne vermelha polui 18 vezes mais a água e afeta 20 vezes mais o solo. Eles também recomendam que comamos grãos, vegetais e frutas orgânicos. A agricultura orgânica causa menos poluição da água porque não usa fertilizantes sintéticos e pesticidas.

As ações domésticas são a terceira grande categoria de impactos do consumidor sobre o ambiente. Em muitas de nossas casas, queimamos combustíveis fósseis para aquecer o espaço e a água. Usamos eletricidade para esses mesmos fins e também para iluminar, refrigerar e acionar aparelhos, como TV, computador e som. Na maioria dos países, inclusive nos Estados Unidos, mais da metade da eletricidade provém da queima de combustíveis fósseis, especialmente carvão. E quase todas as nossas casas usam essas fontes de energia de maneira muito ineficiente.

Brower e Leon resumem Onze Ações Prioritárias para os Consumidores Americanos:

11 AÇÕES PRIORITÁRIAS PARA CONSUMIDORES		
Transporte	**Alimento**	**Ações Domésticas**
1. Procure morar num lugar que reduza a necessidade de usar carro. 2. Pense duas vezes antes de comprar um segundo carro. 3. Escolha um carro econômico e que polua o menos possível. 4. Estabeleça metas concretas para reduzir sua locomoção. 5. Sempre que for prático, caminhe, ande de bicicleta ou use transporte coletivo.	6. Coma menos carne. 7. Compre produtos orgânicos certificados.	8. Escolha sua casa com cuidado. 9. Reduza os custos ambientais de aquecimento de ar e água. 10. Instale iluminação e aparelhos eficientes. 11. Escolha um fornecedor de eletricidade que ofereça energia renovável.

Todos precisamos pensar e ver quanto essas questões ambientais globais e locais são importantes para nós, e o que estamos dispostos a fazer com relação a elas. Incluí o estudo e as conclusões da Union of Concerned Scientists para ajudar as pessoas a optarem por ações que produzam os efeitos mais benéficos. A próxima seção apresenta dois grupos que adotam o pensamento por sistemas para fazer uma diferença ambiental em suas comunidades.

Guia para o Planeta Terra do dr. Art

LOCALMENTE

o que realmente importa

Em 1994, Ray Anderson preparou um discurso que mudou sua vida. Mais de vinte anos antes, ele havia fundado a Interface, Inc., a maior produtora mundial de forração de pisos comerciais, produzindo e vendendo mais de 40% de todos os carpetes usados na Terra. O discurso de Ray ajudou a transformar a Interface numa empresa muito mais interessante, em algo mais do que uma simples fábrica de tapetes para uso comercial.

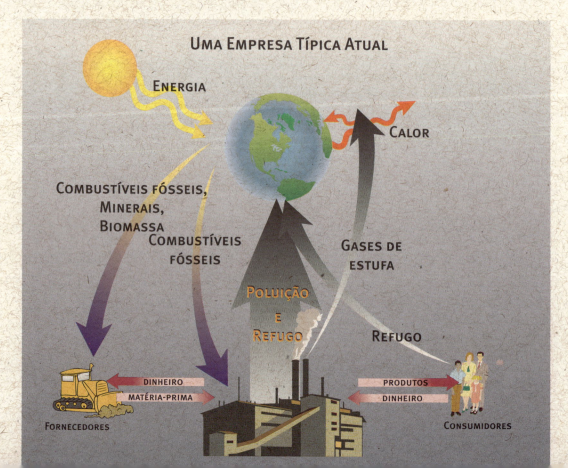

112

Ray fora solicitado a falar sobre a política ambiental de sua empresa. Ao preparar seu discurso, ele se deu conta de que nem ele nem seus sócios tinham uma idéia formada sobre isso. Posteriormente, através de leituras e de avaliações da situação, ele resolveu mudar os rumos da Interface: de empresa prejudicial ao meio ambiente ela deveria se transformar em empresa restauradora do ambiente. E deveria continuar fabricando tapetes e também aumentando as vendas e os lucros.

Desde então, a Interface tem adotado o pensamento por sistemas para eliminar refugos e poluição. A empresa calculou a quantidade de material que estava extraindo da Terra para fabricar seus produtos, e descobriu que os totais chegavam a 550 milhões de quilos, em grande parte combustíveis fósseis. Ray Anderson diz que esses cálculos o tentaram a abandonar o negócio.

Cinco anos depois, a Interface havia reduzido os refugos em aproximadamente 50% e economizado muito dinheiro no processo. A empresa adota pelo menos 5 Rs, a começar por reduzir, reutilizar e reciclar, e acrescentando redesenhar e energia renovável. Seu produto mais recente terá refugo zero e será fabricado com energia solar, e não mais com combustíveis fósseis.

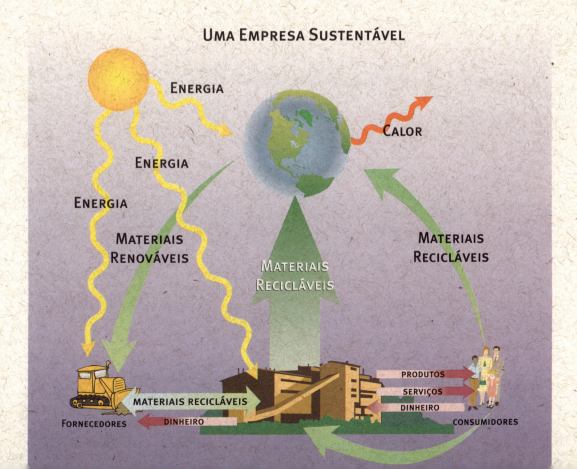

Guia para o Planeta Terra do dr. Art

LOCALMENTE

Outra característica da reestruturação feita é que o consumidor pode adquirir serviços, em vez de tapetes apenas. No modelo antigo, o consumidor compra um carpete e o joga fora quando precisa substituí-lo. No esquema de Ray, o consumidor faz uma espécie de contrato de aluguel que oferece uma forração de piso constante e de alta qualidade. Quando uma porção do carpete precisa ser substituída, a Interface retira essa porção desgastada, substitui por outra, e a submete ao processo de reciclagem. Temos assim refugo zero e uma maior satisfação do cliente. Citando Ray Anderson, a Interface faz sucesso fazendo o bem.

A TreePeople, em Los Angeles, é outro exemplo de um grupo que faz sucesso fazendo o bem. Fundada em 1973, essa organização sem fins lucrativos apóia os moradores de Los Angeles melhorando os arredores em que eles vivem, trabalham e se divertem. Criada por um grupo de adolescentes, a TreePeople plantou até o momento mais de um milhão e meio de árvores na cidade e tem um dos maiores programas de educação ambiental da Califórnia.

GRANDE IDÉIA

As escolhas que fazemos habitualmente resultam em grandes impactos ambientais.

Leis estaduais e federais exigem que o governo municipal de Los Angeles atenda a diversos padrões ambientais (como água limpa, redução de lixo e ar puro). A TreePeople desenvolveu para o Departamento Municipal de Serviços Públicos de Los Angeles um programa de educação e apoio a adolescentes que visava fazer com que estes assumissem a preservação de seus ambientes locais. Esse programa, denominado Geração Terra, envolveu 800.000 alunos do ensino médio, em apenas dois anos.

Orientada para o sistema urbano, a TreePeople escolheu os adolescentes como público-alvo porque eles podem ter grande influência sobre suas famílias e amigos, e porque as escolhas que fazem habitualmente resultam em grandes impactos ambientais. O programa Geração Terra ajuda os adolescentes a compreenderem os sistemas ambientais em que vivem e lhes mostra o que podem fazer para proteger esses ambientes.

O projeto de água nas escolas é um bom exemplo. O programa Geração Terra ensina tudo o que é necessário sobre o ciclo da água, sempre tendo como referência o planeta e a cidade de Los Angeles. Os estudantes ficam sabendo de onde vem a água que consomem e para onde ela vai. Quase todos pensaríamos na água que corre em nossas torneiras e que escoa de nossas casas para o sistema de esgoto

Aja Localmente

sanitário público. Mas outro fluxo importante da água da cidade acontece fora desse sistema: a água que provém das nuvens ou das mangueiras de jardins e que, passando por nossas ruas, acaba fluindo para o sistema de drenagem e daí para o mar.

Esse escoamento urbano recolhe a poluição produzida pelo óleo dos carros, pelos tocos de cigarros e por outros detritos urbanos. Diferentemente do sistema de esgoto sanitário, o escoamento urbano não é tratado antes de fluir para o mar, onde pode poluir a água e as praias. Os estudantes do programa Geração Terra aprendem essas questões relacionadas à água e descobrem como podem prevenir a poluição desses escoamentos. Eles analisam como suas escolas se integram nesse sistema hídrico e então se envolvem em projetos de ação para minimizar os impactos ambientais danosos causados pela escola. Projetos como o da Geração Terra não somente resolvem os problemas atualmente, mas também ajudam a criar cidadãos do futuro com compreensão ambiental e com capacidade para fazer a diferença.

115

Guia para o Planeta Terra do dr. Art

ainda não é o fim

Todos temos crenças e valores sólidos que orientam nossas ações. Com relação à Terra, um dos meus valores é deixar nosso planeta pelo menos em tão boas condições quando as que eu usufruí. Quais são os seus valores?

Espero que este livro lhe tenha oferecido um esquema simples para compreender como nosso planeta funciona. Ele deve ter-lhe mostrado também como o sistema da Terra é complicado, o quanto não sabemos sobre questões básicas como o número de diferentes espécies ou o clima que teremos nos próximos cinqüenta anos. Quando não compreendo uma coisa e minha vida depende dessa compreensão, procuro ser cauteloso para não complicar ainda mais a situação. Isso me faz concluir que devemos:

   **Manter o equilíbrio atual dos ciclos da matéria**

   Evitar interferir nos fluxos de energia da Terra

   Preservar a teia da vida

116

Aja Localmente

Você pode ter um sistema de valores muito diferente e chegar a outras conclusões. Peço-lhe apenas duas coisas, porém. Primeira, procure entender o planeta Terra como um sistema. Segunda, se resolver contribuir com a proteção do sistema Terra, use o pensamento por sistemas para decidir o que fazer. Toda escolha que fazemos tem aspectos positivos e negativos. O pensamento por sistemas pode ajudá-lo a equilibrar os riscos e os benefícios. Ele é útil também para ajudá-lo a identificar os lugares do sistema onde você pode produzir resultados melhores.

Em nosso dia-a-dia, podemos empreender muitas ações que fazem uma grande diferença. Brower e Leon identificaram onze ações prioritárias nas áreas do transporte, da alimentação e da vida doméstica. Penso também que precisamos promover mudanças em nossa sociedade que ajudem pessoas e empresas a agirem com responsabilidade ambiental. Por exemplo, em geral é mais conveniente dirigir o próprio carro do que usar transporte coletivo. Nossa sociedade decidiu investir mais dinheiro na expansão de rodovias do que no desenvolvimento de meios de transporte de massa atrativos e eficientes. Para um resultado melhor, precisamos combinar o modo como escolhemos nossas ações diárias com o modo como votamos em nossas eleições anuais.

Espero que este livro lhe tenha trazido mais esperança do que desalento. Não podemos destruir a vida na Terra. Nossa engenhosidade humana nos trouxe até este momento único em nosso desenvolvimento como espécie em que podemos mudar o funcionamento do nosso planeta. Na nossa vida diária, todos e cada um influenciamos esse sistema global e nosso ambiente local. Não sabemos o que acontecerá. Acredito que quanto mais preservarmos os ciclos da matéria, os fluxos de energia e a teia da vida da Terra, maiores possibilidades teremos de preservar um planeta hospitaleiro para nós mesmos, para nossos descendentes e para todas as criaturas da Terra.

AINDA NÃO É O FIM

Guia para o Planeta Terra do dr. Art

GLÍNDICE
(glossário + índice)

Biodiversidade – o número e as espécies de organismos da Terra. Não sabemos quantas espécies existem, quantas estão em processo de extinção atualmente e nem as conseqüências para a teia da vida da Terra pp. 66-67, 74-75, 80-85.

Ciclos – padrão repetitivo, como o das estações do ano. Ver Capítulo 2 para o ciclo das rochas (pp. 20-25), para o ciclo da água (pp. 26-33) e para o ciclo do carbono (pp. 34-41).

Ciclos de reação – modo como as partes de um sistema se influenciam mutuamente. Ciclos de reação de equilíbrio mantêm os sistemas estáveis. Ciclos de reação de reforço podem causar mudanças radicais nos ecossistemas pp. 71-73, 96-97.

Clima global – o padrão de temperaturas e de precipitações da Terra. O clima da Terra mudou através de sua história. Não sabemos quanto ou com que rapidez nossas atividades alterarão o clima global pp. 57, 79, 82, 92-97.

Combustíveis fósseis – carvão, petróleo e gás natural. Formados por organismos vivos primitivos, constituem-se num reservatório de carbono. Nosso consumo de combustíveis fósseis como fonte de energia está aumentando a quantidade de dióxido de carbono na atmosfera pp. 37-41, 106-107, 111, 113.

Ecossistema – os organismos que vivem num lugar específico e o modo como eles interagem uns com os outros e com seu ambiente local. Todos os ecossistemas têm um padrão de organização semelhante pp. 68-75, 83-85, 104-105.

Efeito estufa – gases específicos na atmosfera (especialmente água e dióxido de carbono) absorvem o calor que deixa o planeta, mantendo assim a Terra quente. Queimando combustíveis fósseis e florestas, podemos ter uma coisa boa em excesso, e então ela se torna prejudicial pp. 50-53, 56-57, 95-97, 107, 110.

Eficiência de energia – o valor que obtemos de uma determinada quantidade de combustível que consumimos. As sociedades de hoje tendem a usar energia de modo muito ineficiente. Podemos consumir muito menos energia e ainda assim obter os mesmos serviços e o mesmo conforto pp. 106-107, 110-111.

Glíndice

Energia – uma palavra simples cuja definição científica mais parece um enigma (p. 44). A energia entra, permeia e sai do sistema Terra pp. 12-13, 43-58.

Espectro eletromagnético – a ampla distribuição das radiações eletromagnéticas que abrange desde as ondas de rádio (comprimentos de onda longa), passa pela luz visível, e chega até os raios X e os raios cósmicos (comprimentos de onda curta); um conceito científico importante que explica as cores e o efeito estufa pp. 50-53.

Fotossíntese – modo como a vida vegetal da Terra capta a energia solar e a armazena em açúcares; uma parte do ciclo de carbono da Terra que retira o dióxido de carbono da atmosfera pp. 62-65.

Matéria – o material de que nosso mundo é constituído. Podemos encontrá-la sob as formas sólida, líquida e gasosa. Não se admire se você se surpreender andando por aí repetindo "ciclos da matéria, ciclos da matéria, ciclos da matéria" depois de ler pp. 10-11 e Capítulo 2 pp. 19-42.

Molécula – a matéria é feita de átomos. Uma molécula são dois ou mais átomos juntos. A menor porção de água é uma molécula de água, que consiste de dois átomos de hidrogênio com um átomo de oxigênio p. 28.

Ozônio – uma forma de oxigênio que contém três átomos em vez de dois. O ozônio na atmosfera superior protege a vida contra a radiação ultravioleta do Sol. CFCs e outras substâncias químicas prejudicam essa camada de ozônio. Na atmosfera inferior, o ozônio é um poluente pp. 79, 86-91, 100.

Pensamento por sistemas – um modo de compreender nosso mundo por intermédio da pesquisa de seus sistemas. O dr. Art recomenda que se façam três perguntas relacionadas com os sistemas pp. 4-9.

Renovável – fontes de energia e de materiais que podem ser naturalmente reutilizados, possibilitando ao homem aproveitá-los sem os esgotar. Exemplos: a luz do Sol, energia eólica, madeira pp. 107, 113.

Respiração – como os organismos liberam energia química dos açúcares por meio da combinação destes com o oxigênio; uma das partes do ciclo do carbono que libera dióxido de carbono na atmosfera pp. 62-65.

Sistema – um todo que é mais do que a soma de suas partes. Você, um carro e um sanduíche são todos exemplos de sistemas pp. 4-7.

Terra – um planeta que recicla, acionado pelo fluxo da energia solar que sustenta uma teia da vida em rede. Apresentado no Capítulo 1 pp. 2-17.

Você está com o livro nas mãos.

No endereço eletrônico você pode...
- encontrar animações e experimentos
- fazer perguntas e obter respostas
- ter informações sobre a apresentação teatral do dr. Art

Nota do Editor: Não havendo no Brasil um *site* em língua portuguesa correspondente ao www.planetguide.net, decidimos manter esta informação, para não suprir dos nossos leitores a oportunidade de consultá-lo em inglês, se julgarem de seu interesse.

www.planetguide.net

SOBRE O AUTOR

O dr. Art Sussman é Ph.D. em Bioquímica pela Universidade de Princeton. Ele realizou pesquisas científicas na Universidade de Oxford, na Escola de Medicina de Harvard e na Universidade da Califórnia, em San Francisco. Nos últimos 25 anos, o dr. Art vem ajudando o público em geral, professores e estudantes a compreenderem a ciência, especialmente enquanto ela nos afeta a todos em nossa vida diária. O dr. Art trabalha em WestEd (um dos dez laboratórios educacionais regionais criados pelo Congresso) para aperfeiçoar a educação científica e ambiental nos níveis local, estadual e nacional. Ele adota técnicas inovadoras para mostrar que a ciência é compreensível, interessante, importante e divertida.

**Oferta especial
para compras em grupo**

Queremos incentivar grupos a adotar o *Guia para o Planeta Terra do dr. Art* como parte das atividades que empreendem para melhorar suas comunidades, educar professores, ensinar alunos e aplicar práticas administrativas sustentáveis. Os exemplos incluem:

- Universidades ou projetos que preparam futuros professores
- Empresas que querem informar seus colaboradores, clientes e/ou consumidores
- Estudantes ou grupos comunitários envolvidos em projetos ambientais
- Escolas que ensinam as ciências dos sistemas da Terra

Favor enviar e-mail para pensamento@cultrix.com.br Informe-nos quantos exemplares do livro você quer e forneça uma breve descrição de sua situação/projeto. Oferecemos descontos para aquisição em grupo.